SILVAN

SOPHIA LOREN
ŻYCIE JAK FILM

TŁUMACZENIE
ANNA OSMÓLSKA-MĘTRAK

litera

Tytuł oryginału
Sophia Loren: una vita da romanzo. Le verita nascoste

Copyright © 2010 Baldini Castoldi Dalai *editore* S.p.A. – Milano

Copyright © for the translation by Anna Osmólska-Mętrak 2013

Projekt okładki
Katarzyna Borkowska
kb-design@o2.pl

Fotografia na pierwszej stronie okładki
© Silver Screen Collection/Moviepix/Getty Images/Flash Press Media

Opieka redakcyjna
Ewa Polańska
Bogna Rosińska

Adiustacja
Anastazja Oleśkiewicz

Korekta
Barbara Gąsiorowksa

Projekt typograficzny
Irena Jagocha

Łamanie
Piotr Poniedziałek

ISBN 978-83-240-2330-1

Książki z dobrej strony: www.znak.com.pl
Społeczny Instytut Wydawniczy Znak, 30-105 Kraków, ul. Kościuszki 37
Dział sprzedaży: tel. 12 61 99 569, e-mail: czytelnicy@znak.com.pl
Wydanie I, Kraków 2013
Druk: Rzeszowskie Zakłady Graficzne SA, ul. Pogwizdów Nowy 662, Zaczernie

Moim bliskim
i wszystkim tym,
którzy mają cierpliwość i odwagę

PROLOG

Przejrzała się w lustrze. Rezultat ją zadowolił.

Przypomniała sobie, jak kiedyś otworzyła małą szafę ze sklejki i pomyślała, że nie ma co na siebie włożyć na wieczór.

Na wspomnienie owego epizodu aż ścisnęło ją w żołądku. Dobrze znała ten sygnał, wyrzut, którym sumienie przypominało o swoim istnieniu. Mały krok wstecz i przed oczami stawał jej obraz z czasów, kiedy naprawdę nic nie miała, a *mammà* Luisa wpadła na genialny pomysł, zdjęła zasłony wiszące w jadalni, zaczęła je ciąć i uszyła jej wieczorową suknię na konkurs Królowej Morza.

Miała wówczas ledwie czternaście lat, a teraz, kiedy ma piętnaście i pół, zdaje się, jakby minęło ze sto lat. W mgnieniu oka przeżyła na nowo niepokój i zamieszanie, jakie zapanowały w mieszkaniu przy via Solfatara 5 w Pozzuoli, kiedy całą rodzinę ogarnęła gorączka.

7

Kiedy teraz rozczesywała niesforne włosy, zdawało się jej, że znów słyszy zgiełk tamtego dnia, kiedy wszyscy mówili i krzyczeli jedno przez drugie. Uśmiechnęła się do siebie na wspomnienie matki, która wydawała się najbardziej podekscytowana.

Dziadkowie i wujostwo wciąż wynajdowali coś, co nie gra: według nich nic się nie nadawało, począwszy od sukienki, aż po buty, a do tego ten makijaż i fryzura, wszystko było niedopracowane.

Natomiast bojowo nastawiona Romilda nie przestawała krążyć między nimi niczym wściekła kotka, nakłaniając ich, by nie składali broni. W pewnej chwili zatrzymała się pośrodku pokoju i oparła ręce na biodrach, co było widomym znakiem, że zaraz rozpęta się burza.

Z powodu takiego głupstwa jak brak przyzwoitej sukienki nie można było tracić okazji, ona zaś, Romilda, królowa straconych okazji, coś o tym wiedziała. Nie było butów? Znalazło się proste rozwiązanie. Bielidłem pomalowała brązowe buty córki i wszyscy razem, *mammà* Luisa, *papà* Domenico, Romilda, wujostwo i mała Maria modlili się do świętego Januarego, żeby tylko nie spadł deszcz i nie zmył farby.

Święty January był łaskawy, nie padało i choć nie koronowano jej na Królową, została przynajmniej jedną z dwunastu księżniczek.

Obróciła się przed lustrem. Szeroka biała spódnica w czerwone kwiaty jeszcze bardziej podkreślała jej niezwykle szczupłą talię ściśniętą gorsetem. Był bardzo drogi, więc żeby zaoszczędzić pieniądze potrzebne na jego zakup, ona i Romilda przez kilka dni pościły o chlebie i mleku, ale do głodu były już przecież przyzwyczajone.

Jak to często robiła dla zabawy, otoczyła talię dłońmi, łącząc paznokcie na kształt paska: niewiele dziewcząt zdolnych było tego dokonać!

Westchnęła zadowolona, aż zafalowały jej duże, doskonałe piersi, uniesione wysoko i władczo w dekolcie. Jakże odległy był czas, kiedy robiono sobie z niej w szkole żarty. „Szczapa!" – krzyczano za nią, a ona wstydziła się swojej chudości. Była płaska z przodu i z tyłu niczym deska oheblowana przez świętego Józefa, nogi miała długie jak patyki, a twarz tak wychudzoną, że widać na niej było tylko wielkie gałki oczne i usta szerokie od ucha do ucha. Tak, teraz wygląda całkiem nieźle.

Zrobiła staranny makijaż, nakładając małą gąbką podkład w kolorze ochry na twarz o wydatnych kościach policzkowych, a następnie pociągnęła czarną kreskę, poprawiając dwa razy rozwidloną końcówkę, która namalowała się jej niezbyt równo. Wywinęła rzęsy zalotką, po czym przyciemniła je i zagęściła tuszem, zwilżając uprzednio szczoteczkę do rzęs śliną. Zabiegi te pozwoliły jeszcze bardziej podkreślić zieleń jej oczu. Na koniec pociągnęła wydatne wargi szminką w kolorze makowej czerwieni i przyjrzała się swoim zębom. Nie podobała jej się przerwa między siekaczami, ale przynajmniej były białe i zdrowe. Poprawiła jeszcze zarys brwi ołówkiem i wreszcie zajęła się włosami, które zaczesała do góry.

W tej samej chwili drzwi pokoiku otworzyły się i weszła jej matka, kobieta wysoka, dość jeszcze młoda, o orlim nosie i wyrazistych rysach twarzy. Padła zmęczona na jedno z dwóch łóżek polowych, które wraz z walizką dopełniały umeblowania.

– Jak wyglądam? – zapytała dziewczyna, okręcając się wokół siebie i poruszając spódnicą.

Kobieta zmarszczyła czoło, przyglądając się jej z krytycznym wyrazem twarzy pozbawionym uśmiechu, po czym wykonała gest aprobaty i wydała opinię.

– Wyglądasz na dwadzieścia lat. Ale rozpuść włosy i załóż obcisłą spódnicę. Pokaż biodra, moja córko.

I oto ona, Sofia Scicolone, gotowa do udziału w kolejnym konkursie piękności, choć tego wieczoru nie miała na to specjalnej ochoty.

Na Colle Oppio wybierano Miss Rzymu.

Jeśli wygra, przyniesie do domu w prezencie kilka lirów i jakieś dobro materialne: salami, parę butów, aparat fotograficzny.

W bardziej szczęśliwych przypadkach wygrać można było nawet złotą bransoletkę. Szkoda, że nigdy nie była pierwsza, ale kto wie – może tym razem pójdzie jej lepiej.

A poza tym mogła ją zauważyć jakaś szycha z filmu albo z prasy.

Genewa, dzisiaj

Miałam piętnaście lat i nazywano mnie jeszcze moim prawdziwym nazwiskiem, Sofia Scicolone. Tamtego wieczoru wyszłam z przyjaciółmi.

W owym czasie organizowano wiele konkursów piękności i w pobliżu Koloseum, w jednym z lokali na Colle Oppio, wybierano Miss Rzymu. Dostałam do stolika wizytówkę, na której było napisane „Dziś wieczorem odbędzie się konkurs i chciałbym, żeby wzięła w nim pani udział".

On, Carlo Ponti, był jednym z sędziów, ale ja o tym nie wiedziałam i pomyślałam sobie: „Może to sędzia i powie o mnie dobre słowo".

Przystąpiłam do konkursu i zajęłam drugie miejsce.

Nie cierpiałam z tego powodu, ale on po zakończeniu pokazów chciał ze mną porozmawiać i poszliśmy na krótki spacer.

Na Colle Oppio był ogródek otaczający parkiet, na którym się tańczyło. Jak dziś pamiętam zapach tamtej nocy, światła miasta, twarz Carla.

Powiedział: „Może przyjdzie pani do mnie jutro do biura? Chciałbym z panią porozmawiać, zobaczyć, co dałoby się zrobić". Odpowiedziałam: „Dobrze", a on podał mi adres.

Biuro Carla mieściło się w połowie drogi, tuż obok posterunku karabinierów. Najpierw weszłam do nich i kiedy się zorientowałam, pomyślałam: „To jakiś błazen, pewnie sobie ze mnie zakpił". Ale tam poinformowano mnie: „Panienko, numer, którego pani szuka, jest obok".

W końcu dotarłam do jego biura, a on powiedział mi, że wylansował już wiele aktorek, Alidę Valli, Silvanę Mangano, Lucię Bosè, Ginę Lollobrigidę...

ZAPACH OSCARA

RZYM, KWIECIEŃ 1962

Enrico Lucherini zadzwonił do domu państwa Pontich. Była druga w nocy.

— Sofio, coś czuję, że ci się uda. Jesteś znakomita, a *Matka i córka* to arcydzieło. Nie trać wiary.

Sofia spojrzała na Carla Pontiego, który siedział zagłębiony w swoim ulubionym fotelu. Był blady i miał oczy podkrążone z napięcia.

— To był Lucherini. Mówi, że mi się uda. Co ty na to, Carlo? Czy źle zrobiliśmy, nie jadąc do Hollywood? Pomyśl, siedzielibyśmy teraz na widowni i słuchali nazwisk zwycięzców...

Carlo uśmiechnął się do niej z czułością. Noc zdawała się nie mieć końca w oczekiwaniu na werdykt przyznający Oscara dla najlepszej aktorki, do którego nominowana była młoda kobieta znana na świecie jako Sophia Loren.

Ta wspaniała dziewczyna o niesamowicie długich nogach była seksowna nawet w piżamie o męskim kroju i narzuconym na nią jedwabnym szlafroku. Siedziała zwinięta na aksamitnej kanapie w pozycji niemal embrionalnej, z niepewnym i niespokojnym wyrazem twarzy dziecka, które prosi spojrzeniem o pomoc.

W tych okolicznościach naprawdę poczuła, że znów jest dziewczynką, mimo że mając dopiero dwadzieścia siedem lat, dzięki nadzwyczajnemu aktorskiemu temperamentowi wciąż wzruszała i emocjonowała widownię swoją interpretacją matki zgwałconej przez Marokańczyków razem z córką w powojennej Ciociarii.

– Romildo, daj Sofii spokój, przez ciebie jest jeszcze bardziej zdenerwowana. A w ogóle to zostawcie mnie i Sofię choć na trochę samych.

Głos Pontiego brzmiał sucho, co było znakiem, że nie należy mu się sprzeciwiać.

Romilda wyswobodziła się z objęcia Sofii, wstała z kanapy z grymasem niezadowolenia i oddaliła się w kierunku przyległego pokoju w towarzystwie producenta Basilia Franchiny oraz sekretarki i przyjaciółki Ines Bruscii.

Carlo odczekał chwilę, po czym wstał, żeby rozprostować nogi, i ruszył w stronę siedemnastowiecznej serwantki przerobionej na bar. Na olbrzymiej srebrnej tacy ustawione były butelki o kolorowych etykietach, spośród których wyróżniały się Johnny Walker Black Label, Courvoisier XO i dżin Cressi. Obok stał syfon z wodą sodową oraz srebrny kubełek, który służąca na bieżąco napełniała kostkami lodu.

Carlo spojrzał z wahaniem na butelkę wódki Smirnoff, po czym zdecydował się jednak na whisky, nalał sobie pół szklaneczki, dodał trochę lodu i powoli zaczął sączyć drinka. Ogromny salon, w którym królował fortepian Steinwaya, był luksusowy i wygodny. Boazeria pokrywająca ściany, ulubione obrazy, a wśród nich Picasso, Bacon, Sutherland i dwa płótna Canaletta, cenne dywany z Buchary rozrzucone na posadzce z różowego marmuru karraryjskiego, zasłony z zielonego aksamitu, podobnie jak kanapy i fotele w stylu Ludwika XVI: wszystko to ostentacyjnie podkreślało sukces i bogactwo najpotężniejszego na międzynarodowym rynku włoskiego producenta filmowego.

Kiedy znów siadał, Sofia spojrzała na niego w oczekiwaniu na komentarz.

– Vittorio mówi, że nawet jeśli nie dadzą mi Oscara, byłam naprawdę dobra, i że powinnam pieprzyć Amerykanów, ale ja nie daję rady, Carlo. Czuję się źle, czekając i nie mając żadnych wiadomości.

Zerwała się gwałtownie.

– Idę przygotować sos na jutro.

Carlo spojrzał na nią z czułością. Sofia nigdy nie przestawała zaskakiwać go i bawić.

– Nie zachowuj się jak wieśniaczka. Jutro zajmiesz się sosem. Teraz chodź tu do mnie. Przypomnij sobie, co ci powiedziałem, że wystarczy nominacja do Oscara za *Matkę i córkę*, by potwierdzić twoją międzynarodową sławę. To już jest wielka satysfakcja i po raz pierwszy zdarza się w przypadku aktorki niegrającej po angielsku... Pomyśl o brawach, jakie dostałaś po premierze w Nowym Jorku... – powiedział z pozycji swojego czterdziestodziewięcioletniego doświadczenia.

– Wiem, Carlo, ale emocje są zbyt silne, niepewność przyprawia mnie o ból serca. Przysięgam ci, nie dałabym rady, żeby czekać tam z tymi wszystkimi hollywoodzkimi mumiami o sztucznych zębach. A potem może wcale nie dadzą mi tego Oscara...

Carlo westchnął. On też był podniecony. Potem, ze spokojem, tak jak postępuje się z uczniakiem, zaczął swoje kazanie, chociaż nie miał specjalnej nadziei, że ją tym uspokoi.

– Sofio, już sama nominacja otwiera nam nadzwyczajne możliwości. Pamiętasz, ile wysiłku kosztowała cię praca przy *Pożądaniu w cieniu wiązów* z tym durniem Anthonym Perkinsem? Mimo obecności Delberta Manna, który jest reżyserem z jajami, mimo historii Eugene'a O'Neilla i występu tego geniusza Burla Ivesa szczekającego w dialekcie New England, widziałaś rezultat? Miałaś przeciwko sobie krytykę, która dostrzegła tylko twoje sztuczne rzęsy. A teraz jesteś warta na rynku dwa razy tyle.

Carlo dał jej znak, żeby podeszła, a Sofia usiadła mu na kolanach, pozwalając się objąć. Była tak wysoka, że mężczyzna znikał niemal pod jej ciałem, ale dla Sofii nie było bezpieczniejszego portu niż jego ramiona.

Udała, że się dąsa.

– Przecież wiesz, że gotowanie ragù odpręża mnie, i wiesz także dlaczego. Kiedy byłam mała, robiła je *mammà*, babcia Luisa, i dla mnie to najlepszy sposób na ukojenie nerwów.

Kiedy w Pozzuoli babcia gotowała ragù, oznaczało to, że pod koniec miesiąca przyszły pieniądze. Ona i *papà* Dummì wchodzili do kuchni o piątej rano. Zanim zaczęli opłacać rachunki, kupowali mięso, mielili je i przyrządzali ragù po neapolitańsku, które musiało pyrkotać przez trzy albo cztery godziny, a potem było niewiarygodnie dobre.

Babcia była kobietą, która całe życie poświęciła rodzinie. Była przepiękna, wysoka, pochodziła z rodziny kirasjerów. Miała czworo dzieci i wychowała je w okresie poprzedzającym wojnę.

Umarła w wieku pięćdziesięciu trzech lat na raka, pamiętam, że myślałam, iż jest bardzo stara, poruszała się z trudem, wstrząsał nią chroniczny kaszel. Miała złote ręce, ale nie dlatego że nauczyła się zawodu krawcowej, nie wycinała wykrojów z papieru, lecz cięła na oko bezpośrednio tkaninę, jak wtedy kiedy miałam czternaście lat, a ona uszyła mi wieczorową suknię z zasłon i wszystko było doskonałe.

— Skarbie, czy już wiesz?

Głęboki głos rozmówcy zza oceanu brzmiał niepowtarzalnie. O szóstej czterdzieści pięć rano Cary Grant był aniołem, który ogłaszał zwycięstwo.

— Jestem szczęśliwy, że mówię ci o tym pierwszy! Sofio, zdobyłaś Oscara dla najlepszej aktorki! — Ciepły i głęboki głos Granta dotarł stłumiony do uszu Sofii, która zaczęła podskakiwać pod wpływem nieopisanych emocji.

Carlo zerwał się na równe nogi, jakby bezsenna noc nic już nie znaczyła. W żyłach płynęła mu adrenalina, która wprawiała go w większą euforię niż whisky. Chwycił czarną słuchawkę telefonu, która wydawała mu się już cała pokryta złotem.

— Powiedz, to prawda? Sofia wygrała?

— Sofio, Sofio! Jesteś najlepszą aktorką roku! Zdobyłaś Oscara! — Na rozchodzącą się zza oceanu wieść głosy i okrzyki nałożyły się jedne na drugie i w okamgnieniu zapanował totalny chaos.

Jedni płakali, inni krzyczeli, jeszcze inni modlili się.

Romilda od emocji przeszła do szaleńczej furii.

— Przecież ja to mówiłam, Sofio, *my* zdobyłyśmy Oscara! *Ja* podbiłam Hollywood! *Ja* zdobyłam Oscara! Jezusie, święty Janu
ary, Matko Boska, sprowadziliście na nas łaskę!

Sofia płakała i śmiała się jednocześnie, miała ochotę zrzucić z siebie piżamę, tak bardzo paliła ją gorączka podniecenia. Tymczasem rozpętał się prawdziwy huragan telefonów.

Alberto Moravia porzucił swoją zwyczajową flegmę i krzyczał do słuchawki: „Sofio, to zdjęcie zrobione na planie *Matki i córki*, tak, to, do którego nie chciałem pozować, zachowam je na całe życie!".

Dziennikarze przybywali grupami i tłoczyli się w pokoju obok salonu. Jako pierwszy przybył wysłannik włoskiego radia Lello Bersani, gotowy przeprowadzić wywiad z Sofią i Carlem Pontim, producentem, który dzięki swojej genialnej intuicji pozwolił na stworzenie arcydzieła.

Ten wywiad Lella Bersaniego nie został nigdy w radiu nadany, ponieważ w purytańskich latach sześćdziesiątych konkubenci, czyli Sophia Loren w piżamie, którą Bersani obszernie opisał, i jej partner Carlo Ponti, wywoływali skandal.

Mimo że oboje przebrali się szybko, żeby przyjąć kolejnych dziennikarzy, Sofia w sweterek i grafitową spódnicę, a Carlo w garnitur i krawat, za sprawą wywiadu Bersaniego mleko już się rozlało.

Przed zaimprowizowaną konferencją prasową fotograf Pierluigi Praturlon robił zdjęcia Sofii z Romildą i Pontim, zaś agent prasowy Enrico Lucherini, który przybył z prędkością sokoła, owładnięty emocjami i radością, czuł się, jakby cały czas pozostawał w powietrzu. Wszyscy myśleli, że to on wpadł na pomysł, żeby wysłać do gazet zdjęcie Sofii, kiedy płacze z porwanymi sznurowadłami przy butach i w podartej sukience, skulona przy drodze, ściskając wielki kamień, ogarnięta rozpaczą po dokonanym na niej i na jej córce gwałcie.

W rzeczywistości zdjęcie to ma szczególną historię. Lucherini był bardzo młody i niezbyt znany na rynku agentów reklamowych, choć pracował już z Luchinem Viscontim i Patronim Griffim.

Carlo Ponti poddał go najpierw próbie przy okazji promocji *I dolci inganni* (Słodkie kłamstwa) Alberta Lattuady z Catherine Spaak w roli głównej, a potem przedstawił mu Sofię, która w owym czasie była już sławną gwiazdą dzięki wielu sukcesom amerykańskim.

Przyzwyczajona do agentów z Hollywood, to ona podpowiedziała Lucheriniemu, żeby do reklamowania *Matki i córki* wybrać mocne zdjęcie. Jego wybór padł na fotografię Praturlona, która obiegła świat, stając się ikoną sztuki aktorskiej jednej z najwspanialszych artystek w historii kina.

Tymczasem pojawił się przystojny wysoki mężczyzna o srebrzystych włosach i donośnym głosie. Był to Vittorio De Sica, reżyser *Matki i córki*, który z trudem kontrolował radość ze zwycięstwa na obcej ziemi swojej pupilki Sofii.

– Biedna Anna, kiedy dowie się o Oscarze dla Sofii, będzie sobie pluła w brodę – uśmiechnął się z satysfakcją pomieszaną z dwuznaczną solidarnością wobec rzymskiej aktorki.

– Dobrze tak tej karlicy Annie Magnani! – odparł oszołomiony szczęściem Basilio Franchina, podczas gdy Lucherini nadstawiał uszu.

– Wiem, że kiedy Ponti zaproponował jej rolę matki z Sofią w roli córki – kontynuował podekscytowany Franchina, podchodząc do barku, żeby nalać sobie dużą porcję dżinu bez lodu – ona obsztorcowała go i wykrzyczała mu w twarz: „Chcesz, żebym zwymiotowała! Wiem, że jesteś zakochany w Sofii, ale nie mów mi, że przyszło ci do głowy dać jej rolę mojej córki dziewicy!", po czym zelżyła Sofię, nazywając ją krową, i powiedziała Pontiemu, że Sofia jest wystarczająco stara, żeby zagrać matkę...

– Cóż, sprawy miały się inaczej... – burknął De Sica, podczas gdy zamęt wokół stawał się coraz większy.

To nieprawda, że kiedy Vittorio De Sica poszedł do domu Anny Magnani, żeby zaproponować jej rolę Cesiry w scenariuszu Zavattinego napisanym na podstawie powieści Alberta Moravii, ona odpowiedziała: „Nie zagram matki!". W rzeczywistości powiedziała: „Chociaż Sofia jest bardzo młoda (miałam dwadzieścia pięć lat), na ekranie jest bardzo mocna, a ja też jestem bardzo mocną aktorką, co więc zrobimy? Zjemy się wzajemnie na ekranie? Jeśli chcesz, żebym zagrała w tym filmie, do roli Rosetty potrzebuję aktorki o twarzy anioła, jak Anna Maria Pierangeli". De Sica pokręcił na to głową, bo się nie zgadzał, i odparł: „Nie, ja mam w głowie inną historię". Wtedy Anna, kiedy odchodził i był już w drzwiach, powiedziała: „Dlaczego nie spróbujesz dać roli matki Sofii?". Nie zasugerowała mu tego ironicznie, ale tak, jakby chciała udzielić mu rady. A De Sica na to: „Wiesz, że podsunęłaś mi świetną myśl?".

Następnego dnia Vittorio przysłał mi telegram (byłam wtedy w Paryżu), w którym napisał: „Zagrasz w *Matce i córce* i będziesz główną bohaterką".

Omal nie zemdlałam: bohaterka książki ma pięćdziesiąt cztery lata, a ja miałam zaledwie dwadzieścia pięć. Ale pomyślałam sobie: De Sica jest wielkim reżyserem, jeśli chce mnie, to nie po to, żeby zrujnować sobie karierę. Widać, że wierzy we mnie, a ja wierzę w niego, sądzę więc, że warto bić się o ten wielki projekt. I tak zrobiliśmy *Matkę i córkę*, co całkowicie odmieniło moje życie.

Do domu Pontich wciąż napływali ludzie z branży, a także starzy przyjaciele Carla, z kolei reporterzy amerykańscy wciąż zajmowali linię telefoniczną. Nad wszystkim panowała zaufana Ines Bruscia. Z Hollywood przychodziły telefony z gratulacjami od Alana Ladda i Paula Newmana, ale najbardziej oczekiwana osoba przybiegła uścisnąć Sofię przepełniona miłością i szczęściem, z podarunkiem, który tylko Sofia mogła w pełni docenić. Była to Maria Scicolone, w ciąży ze swoją pierworodną córką Alessandrą. Przyniosła siostrze małą doniczkę z delikatną bazylią, symbolem zapachu ich rodzinnej ziemi – Kampanii, która wydała na świat tak nadzwyczajny talent, jakim była Sofia.

Maria, młodsza tylko o cztery lata, nie oddawała hołdu wspaniałemu zwycięstwu gwiazdy filmowej, ale czciła ukochaną siostrę: Sofia Scicolone, znana w świecie jako Sophia Loren, była w jej świecie stałym punktem, kobietą, która zawsze ją chroniła z ogromnym poczuciem odpowiedzialności, siostrą, która dawała jej jednocześnie miłość matki i ojca, tego ojca, którego dla dwóch dziewcząt nigdy nie było. Tego tchórzliwie ukrywającego się ojca, który od zawsze uchylał się przed powinnościami rodzicielstwa.

UWIEDZIONA I PORZUCONA

– Panienka pozwoli? Jest pani prześliczna. Idę za panią już od jakiegoś czasu.

Młodzieniec zdjął wyniośle kapelusz i z lekka się ukłonił, co było zawsze skuteczną taktyką, kiedy postanawiał zbliżyć się do jakiejś kobiety.

– Wiem, idzie pan za mną od via Cola di Rienzo, a teraz jesteśmy na piazza del Popolo – odparła niechętnym tonem piękna, długonoga dziewczyna, z głową wyprostowaną jak u królowej, która udawała, że nie zauważa, iż jest śledzona krok za krokiem przez tego wysokiego mężczyznę o wytwornym wyglądzie.

Rzym drżał od przenikliwego w listopadzie wiatru 1933 roku, kiedy miało się dokonać przeznaczenie przyszłej gwiazdy Sophii Loren. Mężczyzną, który śledził fascynującą Romildę Villani, był Riccardo Scicolone, dwudziestosześcioletni student inżynierii, bez żadnego zajęcia, rozpieszczany przez zaborczą matkę o imieniu Sofia i przez starszą siostrę Marię. Byli oni dalekimi krewnymi

sycylijskiej rodziny z Licaty o szlacheckim pochodzeniu, marki-
zów Scicolone di Murillo.

Jeśli można było w mężczyźnie dostrzec coś niewyraźnie szla-
chetnego, to może jego wygląd *hidalga*, charakteryzujący się trój-
kątną twarzą o oliwkowej cerze i wydatnym nosem nad pełnymi
i zmysłowymi wargami. Jeśli chodzi o uczucia, z czasem jego
serce miało się okazać dużo mniej szlachetne.

Romilda Villani i Riccardo Scicolone zatrzymali się w barze,
żeby napić się kawy, opowiedzieli sobie co nieco o swoim życiu,
a kiedy Romilda wyznawała mu swoje ambicje dotyczące artystycznego świata, on – powołując się na wpływowych przyjaciół
w tych kręgach – obiecywał, że przedstawi ją osobom, które będą
mogły jej pomóc.

– Pani podobieństwo do Garbo natychmiast mnie uderzyło,
panno Romildo. Jest pani fascynującą kobietą, o eleganckiej i ta-
jemniczej urodzie. Dziwię się, że do tej pory nie spotkało pani
powodzenie, na jakie zasługuje.

Były to słowa, które pragnęła usłyszeć ta młoda dziewczyna
mówiąca jeszcze z silnym dialektalnym akcentem, mimo że
chciała zrobić karierę i osiągnąć sukces, a tymczasem z trudem
wiązała koniec z końcem, dając lekcje gry na fortepianie.

Pewność siebie, z jaką wypowiadał się Scicolone, natychmiast
zwróciła uwagę Romildy, która – pragnąc go zdobyć – wyjawiła mu, że rok wcześniej wygrała konkurs na sobowtóra Grety
Garbo zorganizowany przez Metro-Goldwyn-Mayer. Wyznała
swoje rozgoryczenie i rozczarowanie związane z próbami do-
stania się do świata kina, które regularnie kończyły się niepowo-
dzeniem. Aspirowała do ról romantycznych, ale zadowoliłaby
się odgrywaniem postaci interpretowanych przez Elsę Merlini,
choć jej największym marzeniem był wyjazd do Ameryki, gdzie

w Nowym Jorku mieszkał jeden z braci jej ojca Domenica, a potem przeprowadzka do Kalifornii, żeby zrobić karierę dzięki podobieństwu do Garbo.

– Boję się latać... myślę zawsze, że samolot może spaść. Zastanawiam się, jak robią to ci, którzy podróżują nieustannie wte i wewte? Ale ja wsiadłabym na parowiec z biletem opłaconym przez Metro-Goldwyn-Mayer...

Riccardo powiedział jej, że studiuje inżynierię, i żeby zrobić na niej dobre wrażenie, wyjaśnił, że jego rodzina jest szlachecka, on jest markizem, nie zajmuje się niczym, co nie byłoby odpowiednie do jego pozycji społecznej, ponieważ wysoko postawione osoby, których przyjaźnią się cieszył, nigdy by tego nie zaakceptowały.

Romilda słuchała w zachwycie słów tego fascynującego mężczyzny, który otwierał przed nią drzwi do jej najbardziej ambitnych marzeń.

W wieku dwudziestu trzech lat wszystko było jeszcze przed nią, a Riccardo Scicolone di Murillo nadawał jej ambicjom realny kształt. Tak, zostanie słynną aktorką, chociaż odpadła przy zdjęciach próbnych, do których się zgłosiła. Zresztą niewiele straciła, ponieważ film o dobrze brzmiącym tytule *Heroiczna młodość* z powodu braku funduszy nigdy nie wszedł do produkcji.

– Urodziłam się 21 czerwca, na przełomie Bliźniąt i Raka, i jestem pewna, że uda mi się zrobić karierę – dodała z determinacją.

W krótkim czasie między Villani a Scicolonem przeskoczyła iskra miłości i zamieszkali razem w małym pensjonacie na piazza Bologna. Był to prosty pokoik o nagich ścianach, ale dwojgu zakochanym zdawał się rajem, jak śpiewa na swoim poddaszu romantyczna Mimì z *Cyganerii*. Namiętność fizyczna łączyła ich aż do chwili, kiedy Romilda zorientowała się, że jest brzemienna, a Riccardo, który w rzeczywistości żył z dorywczej pracy, próbował bezskutecznie przekonać ją, żeby przerwała ciążę. Uznał wówczas, że przy jego upodobaniach łowcy kobiet związek z nachalną dziewczyną z Pozzuoli dobiegł końca.

W taki oto sposób, jeszcze w łonie matki, zaczynało się życie pełne mozołu i trudów, które będą charakteryzowały pierwsze dziesięć lat egzystencji dziewczynki, nazwanej na cześć babki ze strony ojca imieniem Sofia, czym Romilda pragnęła bezskutecznie zaskarbić sobie względy matki Riccarda.

20 września 1934 roku Romilda wydała ją na świat w rzymskim szpitalu Regina Margherita, gdzie dziewczynka została zarejestrowana pod numerem 19.

Według niektórych przekazów Riccardo nie chciał nawet słyszeć o tym, żeby zobaczyć matkę i córkę. W charakterystyczny dla siebie brutalny i stanowczy sposób zmusiła go do tego babka Luisa Villani, która pospieszyła z Pozzuoli na pomoc córce.

To ona zaciągnęła do szpitala z niewzruszoną determinacją opornego Riccarda, żeby poznał nowo narodzoną.

– Spójrz tylko, wykapany ojciec. Nie jesteś dumny? – powtarzała Luisa, pokazując mu małą leżącą w ramionach Romildy, która nie miała nawet siły, żeby coś powiedzieć.

Nigdy się nie dowiemy, jak Luisie się to udało, ale Riccardo Scicolone pod przymusem dał małej swoje nazwisko. Było to jedyne ustępstwo, jakie ojciec uczynił na rzecz swojej córki, unikając w przyszłości łożenia na jej utrzymanie i pozbawiając ją ojcowskiego uczucia i troski.

Urodziłam się stara. Nie wiem, czy urodziłam się mądra, ale urodziłam się z całym bagażem doświadczeń, cierpienia, które przekazała mi matka, kiedy byłam w jej łonie.

Kiedy tylko się urodziłam, matka i ojciec zamieszkali w okolicy piazza Bologna. Właścicielka domu nie mogła się doczekać, kiedy się stamtąd wyniesiemy, i wciąż powtarzała „Zróbcie coś, żeby ta tam umarła". „Ta tam" to byłam ja. Któregoś razu rodzice wyszli i zostałam sama. Byłam taka mała, niemowlę, a mimo to kobieta dała mi do jedzenia soczewicę, która oczywiście strasznie mi zaszkodziła. Kiedy rodzice wrócili, miałam sinicę i byłam bliska śmierci. Wtedy ojciec włożył mnie między dwa materace, zabrali mnie i opuściliśmy tamten dom. Tak zostałam ocalona przed bardzo groźnym nieżytem żołądka.

Kiedy Sofia miała sześć miesięcy, Romilda, porzucona przez Riccarda, który nie przejmując się ani nią, ani córką, wciąż uganiał się za kobietami, żeby przeżyć, była zmuszona wrócić z dzieckiem do Pozzuoli, do rodzinnego domu przy via Solfatara 5.

Luisa i Domenico Villani, wykazując się szczodrością charakteru i pogodzeniem z losem, typowymi dla ludu neapolitańskiego, pomyśleli, że tam, gdzie jest miejsce do spania dla pięciu osób, ich dwojga i trójki dzieci: Dory, Maria i Guida, tam znajdzie się też miejsce dla jeszcze dwóch, a jeśli będzie jedzenie dla piątki, to nakarmi się też dwie dodatkowe osoby. Romilda zarabiała co nieco, udzielając nieregularnych lekcji gry na fortepianie i dając małe koncerty w kawiarniach.

Pozwalała sobie często na wypady do Neapolu i do Rzymu w poszukiwaniu pracy, jak mówiła rodzinie, w charakterze modelki albo aktorki, ale jej aspiracje pozostawały niezaspokojone, mimo krótkiego epizodu w neapolitańskiej trupie teatralnej.

Coraz bardziej oddalała się możliwość wyjazdu do Ameryki po wygraniu konkursu na sobowtóra Grety Garbo, kiedy to musiała walczyć z rodzicami, którzy nie chcieli się na to zgodzić.

Zresztą nie chciała pozostawiać małej Sofii, choćby nawet pod troskliwą opieką dziadków.

Tymczasem dziewczynka rosła wątła i chuda, przywiązując się z nadzwyczajną miłością do babci i dziadka, których nazywała *mammà* i *papà*. Dla niej świat zaczynał się i kończył w Pozzuoli, przy tej pięknej i kapryśnej matce, którą Sofia nazywała *mammina*, w towarzystwie dziadków, uroczej cioci Dory, wujków Maria i Guida, którzy zdawali się dobrymi olbrzymami. Zamykał się w tym cały świat uczuć dziecka.

Prawdziwym powodem, dla którego Romilda tak często jeździła do Rzymu, była chęć powrotu do związku z Riccardem Scicolonem. Nie porzuciła nadziei, że będzie mogła go poślubić, czego gorąco pragnęła, żeby zapewnić godność i rodzinną stabilność sobie i swojej córce Sofii.

W czymś na kształt wyniszczającej gry w miłość i nienawiść Romilda i Riccardo na nowo rozkoszowali się namiętnością, która połączyła ich kilka lat wcześniej. Kiedy jednak w 1937 roku ona zaszła w ciążę po raz drugi, mężczyzna kategorycznie odmówił uznania ojcostwa.

Dziecko, które Romilda nosiła w sobie, jak przysięgał, absolutnie nie było jego, nie wiadomo, kto je spłodził. W atmosferze dzikich awantur, po których następowały groźby i przekleństwa, Scicolone ulotnił się po raz drugi. Romilda znów musiała wrócić do Pozzuoli do domu Luisy i Domenica, którzy raz jeszcze przyjęli ją z miłością.

Jej nieposkromiony duch nie zamierzał jednak poddawać się przeciwnościom losu i wciąż szukał nowych okazji, żeby urzeczywistnić jej marzenia o wielkości. Z charakterystycznym dla siebie temperamentem rozbudziła w sobie chorobliwy podziw dla Benita Mussoliniego i pewnego dnia w Rzymie, uciekając się do nie wiedzieć jakiego podstępu, żeby spotkać swojego idola, zdołała wślizgnąć się do Pałacu Weneckiego, docierając aż do Sali del Mappamondo. Zatrzymano ją w ostatniej chwili i wyrzucono na ulicę. Z jakim niedowierzaniem śmiałaby się Romilda, która z powodu swojej brawury ryzykowała aresztowaniem, gdyby jakiś umysł zdolny do jasnowidzenia przepowiedział jej, że pewnego dnia zostanie ni mniej, ni więcej tylko teściową syna Duce.

W 1938 roku, kiedy Hitler zapowiedział swoje przybycie do Rzymu na spotkanie z Mussolinim, Romilda niemal w przeddzień porodu rzuciła się w odmęt tłumu, który zgromadził się, żeby śledzić to wydarzenie. Jak w teatralnym dramacie, bóle zaskoczyły ją pośród zamętu manifestacji, która miała trwać trzy dni. Dziecko, którego się spodziewała, przyszło na świat właśnie wtedy, ale data narodzin nie została zapisana z właściwą dokładnością i w końcu z możliwych dat wybrano 11 maja. Mała została nazwana jak starsza siostra Riccarda Scicolonego Anna Maria, jednak po raz kolejny nie spełniło się marzenie Romildy Villani, żeby założyć rodzinę z mężczyzną, który ją dręczył.

W 1939 roku, kiedy Sofia skończyła pięć lat, nadciągnęły gęste chmury drugiej wojny światowej, zagrażając losom Włochów. W domu Villanich radzono sobie, jak się dało. *Papà* Dummì i syn Mario pracowali w zakładach Ansaldo, ale nędzne zarobki nie wystarczały na utrzymanie całej rodziny. Romilda i Maria spały na kozetce, a Sofia w poprzek w nogach łóżka zajmowanego przez dziadków i ciocię Dorę.

Naciskana przez babcię Luisę Romilda próbowała przekonać niedoszłą teściową Sofię, żeby się z nią spotkała, by w ten sposób odzyskać względy Riccarda. Złożyła jej wizytę w rzymskim domu, przywożąc ze sobą wnuczkę noszącą to samo co ona imię.

Miała nadzieję, że ją tym wzruszy, ale wszystko okazało się daremne.

Sofia wysączyła szklankę mleka, którą poczęstowała ją babka, po czym wróciły do Pozzuoli z pustymi rękami. Romilda rozpaczała i przeklinała dzień, w którym spotkała Riccarda, jednak nieobecność mężczyzny trwała już zbyt długo. Wymyśliła zatem kolejny fantazyjny podstęp, żeby przyciągnąć ukrywającego się ojca do Pozzuoli. Zadzwoniła, mówiąc, że mała Sofia jest bliska śmierci, a on, przekonany, że Romilda opowiada bujdy, jak czyniła to już wcześniej, pojawił się w domu Villanich dopiero po kilku dniach. Gdyby Sofia naprawdę była bardzo chora, zdążyłaby umrzeć przed jego przybyciem.

Kiedy powiedziano Sofii, że ten wysoki mężczyzna jest jej ojcem, zalała się łzami i uciekła do drugiego pokoju.

– To nie jest mój ojciec. Mój ojciec to *papà* Dummì – krzyczała co sił w płucach.

Scena była tak przejmująca, że Riccardo z wielką ulgą poczuł się zwolniony z obowiązku i wziął nogi za pas, pozostawiając tylko podarunek, który przywiózł ze sobą – niebieski samochodzik na pedały. Zresztą zupełnie nie pociągała go ta niemal rachityczna dziewczynka o twarzy składającej się tylko z oczu i ust, rozhisteryzowana jak jej matka. Jeśli chodzi o roczną Marię Villani, Riccardo nie raczył nawet o nią spytać.

Miałam pięć lat, kiedy ujrzałam go po raz pierwszy. Podarował mi samochodzik, który zachowałam do tej pory.

Nie jest to kwestia wybaczenia czy też niewybaczenia, chodzi o to, co się czuje.

Ojciec nie jest ojcem tylko dlatego, że kochał się z twoją matką, ale osobą, która interesuje się swoją rodziną, robi coś dla swoich córek, jest blisko nich, tymczasem...

Nie chodzi o to, że czuję nienawiść do ojca, ale nie uważam go nawet za bliską mi osobę.

Po wybuchu wojny bombardowania nawiedzały Pozzuoli. Alianci znali pozycje Niemców i nie dawali wytchnienia, niszcząc kolejno to, co pozostawało z miasteczka. Ludzie uciekali do kryjówek, zabierając ze sobą skromne wiktuały, materac albo kołdry. W katakumbach, które ratowały mieszkańcom życie, pojawiały się jednak inne problemy, które dla dorosłych, a szczególnie dla dzieci były trudne do wytrzymania. W ciemnościach przemykały dziwne i przerażające stworzenia, pchły, karaluchy i szczury. Pewnego razu po ciemku *coś* przecięło twarz Sofii, raniąc ją w podbródek. Niektórzy mówią, że był to odłamek bomby, która eksplodowała w pobliżu, inni utrzymują, że chodziło o ugryzienie jakiegoś wygłodniałego zwierzęcia, na przykład szczura.

Od tamtej pory Sofia nie potrafiła zasnąć przy zgaszonym świetle, cierpiąc często na klaustrofobię.

Tymczasem Riccardo Scicolone schronił się w Foligno, gdzie spotkał kolejną kobietę swojego życia: młodą brunetkę z Mediolanu Nellę Rivoltę. Jak to miał w zwyczaju przy składaniu swoich konkretnych ofert miłosnych, w krótkim czasie uczynił pannę Rivoltę brzemienną. Tym razem jednak Nella miała po swojej stronie rodzinę, która groziła śmiercią temu niebieskiemu ptakowi, jeśli nie dopełni obowiązku, zawierając natychmiastowy, ratujący sytuację ślub.

Riccardo, choć przyparty do muru, wciąż nie miał najmniejszego zamiaru tego uczynić i jak zwykle nie zrezygnował ze swojego instynktu uciekiniera. Najlepszym rozwiązaniem wydało mu się poprosić o pomoc ni mniej, ni więcej tylko Romildę, mając nadzieję, że ta ocali go przed ożenkiem z Rivoltą w imię swojej gwałtownej zazdrości i wulkanicznego temperamentu.

„Droga Romildo, nigdy nie zapomniana miłości mojego życia, jeśli chcesz mnie poślubić, powiedz to tej dziewczynie, która twierdzi, że oczekuje mojego dziecka, czego wcale nie jestem pewien".

Taka była mniej więcej treść listów, które z trudem ukrywały obłudny zamiar uchylenia się od odpowiedzialności kosztem matki Sofii i Marii.

Listy, telefony, telegramy nie wywołały jednak efektu, na jaki liczył Riccardo Scicolone. Romilda, rozczarowana swoimi porażkami, zdradzona i upokorzona aroganckim i podłym zachowaniem Riccarda, porzuciła już pragnienie założenia z nim rodziny. Kroniki nie przytaczają żadnej odpowiedzi Romildy, ale nietrudno wyobrazić sobie, dokąd posłała człowieka, który zrujnował jej życie.

Tak więc Riccardo zmuszony był poślubić Nellę Rivoltę, która wydała na świat Giuliana, dziecko grzechu, jak zwykło się mówić w tamtych czasach, a potem drugiego syna, Giuseppego.

Trzeba przyznać, że Riccardo posiadał niewątpliwy urok. Po wielu latach, kiedy skłócił się z żoną Nellą i wziął z nią rozwód, jego głód wciąż nowych kobiet nie był jeszcze zaspokojony i nadal angażował się w różne związki.

Punktem oparcia stała się dla niego w końcu piękna Niemka, była modelka Carola Hack, blondynka przypominająca nieco Marlenę Dietrich, z którą pozostał aż do śmierci w 1976 roku.

Oczywiście kiedy się zestarzał, a prasa odkryła, czyim jest ojcem, ogromny sukces i międzynarodowa sława Sofii ułatwiały mu życie, więc wiele kobiet oddawało mu się w nadziei (jakże bezpodstawnej!), że zdobędą rozgłos dzięki związkowi z ojcem wielkiej gwiazdy.

Ale to już inna historia, tak samo jak inną historią jest opowieść o tym, na jakie cierpienia skaże jeszcze los Romildę, Sofię i Marię za sprawą Riccarda.

WSPOMNIENIA Z DZIECIŃSTWA

Lata wojny były w Pozzuoli straszliwe. Nie było jedzenia i sztuka radzenia sobie była jedynym źródłem przetrwania. W domu Villanich nie brakowało jednak radości, również dzięki miłości, jaką *mammà* Luisa obdarzała obie dziewczynki.

Sofia była milcząca, zamknięta w sobie. Jej charakter kształtowały trudne doświadczenia rodzinne i szkolne. Koledzy żartowali sobie z niej ze względu na jej chudość, nazywali ją „Szczapa" albo „Sofia Wykałaczka", obgadywali ją za plecami z powodu jej historii dziecka pozbawionego ojca.

Sofię bardzo to bolało i żeby uniknąć ironicznych spojrzeń kolegów i ich okrutnych docinków, obmyśliła sposób, jak wchodzić do klasy: w ostatniej chwili albo przed wszystkimi pozostałymi dziećmi.

Zakonnice, które uczyły w jej szkole podstawowej, chroniły ją i były jedynymi osobami naprawdę dla niej miłymi, bardziej od plotkarek z Pozzuoli, dlatego mała Sofia zakładała, że w przyszłości też zostanie zakonnicą.

Tymczasem dla Marii, która nie znała innego świata poza gronem rodzinnym, życiowym wzorem była starsza siostrzyczka.

Podczas gotowania Luisa pozwalała im wchodzić na stół, gdzie improwizowały różne scenki i przebieranki przy użyciu kawałków papieru, które wprawiały w ruch wyobraźnię. Jednak głód nie dawał o sobie zapomnieć aż do tego stopnia, że Maria przypomina sobie, iż aby uciszyć skurcze pustego żołądka, zjadały z Sofią nawet pestki moreli.

W czasie wojny jadaliśmy żytni chleb, który w środku był zawsze wilgotny.

Ja, która jadałam mało i nie lubiłam bobu, często pojawiającego się na stole, schodziłam po chleb i byłam zadowolona, bo do wagi bochenków był zawsze dodatek, który brałam dla siebie, choć babcia się gniewała, bo brakowało potem chleba dla wszystkich, ale ja i tak go sobie brałam i chowałam na zapas.

Potem ja i moja siostra Maria wyjmowałyśmy miąższ i odkładałyśmy na bok. Kiedy tylko mama na nas nie patrzyła, robiłyśmy z tego wilgotnego miąższu laleczki, które kładłyśmy na parapecie do wyschnięcia.

Następnego ranka, kiedy byłyśmy głodne, choć były już twarde, zjadałyśmy je.

Wspomnienia tamtych lat stają się chaotyczne.

Plotki, jakoby Romilda radziła sobie w tamtych okrutnych i nędznych czasach, oddając się żołnierzom, były zawsze słusznie z pogardą odrzucane przez tę kobietę, która musiała zapłacić cenę oszczerstw za to, że była biedna, młoda, piękna i sama.

Według innych przekazów, żeby dorobić, w domu Villanich jeden pokój przeznaczono na coś w rodzaju pubu, gdzie goszczono żołnierzy, którzy chcieli się rozerwać. Romilda grała na pianinie, umilając im czas dobrą muzyką wywołującą nostalgię, a mała Maria, która miała piękny, ustawiony głosik, zabawiała żołnierzy, wzruszając ich aż do łez wspomnieniem ich pozostawionych daleko dzieci. W tym czasie Luisa i Domenico serwowali nalewkę przypominającą cherry brandy, zrobioną z wiśni ze sporym dodatkiem alkoholu, a tym, którzy mieli ochotę, także kawę i ciasto.

Sofia, która była nieśmiała i nie chciała występować, wolała pomagać przy podawaniu do stołu, a potem zmywała talerze i kieliszki.

Kawa papy Dummiego była wykorzystywana kilkakrotnie przy użyciu tej samej ilości zmielonych ziarenek. Mogła się zdawać zabarwioną na ciemno wodą, ale i tak była dobra.

W końcu Sofia zaczęła rosnąć i jej chude ciało, które kazało podejrzewać, że dziewczynka jest chora, cudownie przemieniało się w rozkwitające ciało nastolatki.

Słowem, Sofia rosła w górę i *na zewnątrz*, jak mawiał dziadek Domenico.

We wspomnieniach dziewczynek oddalał się straszliwy okres przesiedlenia spędzony w Neapolu, gdzie mieszkały u krewnych i wszyscy spali stłoczeni jedno na drugim, kiedy nie było nawet wody i Romilda wybiegała na ulicę między jednym a drugim bombardowaniem, żeby przynieść deszczówki. Nie byli jej nawet w stanie ugotować, bo musieli oszczędzać ogień, więc pili nieprzegotowaną, ryzykując zachorowanie na tyfus.

Romilda zaczęła dostrzegać w urodzie córki odbicie własnej i mając w głowie inne plany, przestała uczyć ją gry na pianinie.

Sofii nie sprawiło to żadnej przykrości, bo matka, kiedy dziewczyna pomyliła jakąś nutę albo tempo, waliła córkę po głowie, żeby przywołać ją do porządku, co na pewno nie było metodą pedagogiczną poprawiającą jej muzyczne osiągnięcia. Z upływem lat, przy wciąż palącym rozczarowaniu związanym ze zdradą Riccarda Scicolonego („Ach, gdyby się ze mną ożenił, teraz nie musiałybyśmy tak cierpieć", powtarzała jak litanię), charakter Romildy stawał się dla otoczenia coraz bardziej dokuczliwy: jawiła się innym twarda niczym głaz i silna jak lwica.

Jednak prawdę o jej duszy, jej prawdziwą osobowość, skomplikowaną i pełną sprzeczności, znali tylko najbliżsi krewni.

Moja matka była kobietą pozornie waleczną i impulsywną, pozornie zdawała się nie znosić pewnych rzeczy. Wydawała się gniewliwa, a tymczasem była miła, skora do śmiechu w najbardziej niewiarygodnych chwilach. Miała ona jednak to nieszczęście, że spotkała w życiu, być może o tym nie wiedząc, niewłaściwego mężczyznę.

Była uparta dokładnie tak, jak mój ojciec. Była kobietą, która żyła cały czas z zadrą w sercu: „Tak, ale on się ze mną nie ożenił, miałam z nim dwie córki, a on ożenił się z inną".

Nosiła w sobie uzasadnioną gorycz, ale nie sądzę, że gdyby on z nią został, byłaby szczęśliwa.

W wieku trzynastu lat Sofia była już wysoką dziewczyną z biustem, który rozwijał się w sposób nieokiełznany. Na małej twarzy o lekko trójkątnym kształcie wystające kości policzkowe podkreślały migdałowe oczy o rzadko spotykanym złotym kolorze poprzetykanym zielenią. Długi, ale harmonijny nos nadawał jej arystokratyczny wygląd, zaś pięknie zarysowane i zmysłowe wargi wzbudzały w spotykających ją mężczyznach pragnienie pocałunku.

Romilda zaczęła uczyć córkę właściwego poruszania się, zmuszając ją do noszenia po domu butów na wysokim obcasie. Biorąc pod uwagę wzrost oraz dobrze rozwinięte piersi, kiedy dziewczynka skończyła czternaście lat, mogła wyglądać na dużo więcej.

Pewnego dnia w 1949 roku na łamach neapolitańskiego dziennika „Il Mattino" ogłoszono ważny konkurs, który miał wyłonić Królową Morza oraz jej dwanaście księżniczek.

Sofia w różowej wieczorowej sukni, uszytej przez babcię z domowych zasłon, i w brązowych butach przemalowanych na biało, nieśmiała i młodziutka, została jedną z dwunastu księżniczek i wygrała dwadzieścia trzy tysiące lirów, które dla rodziny wydały się bogactwem, zwoje tapety w wielkie zielone liście, które ozdobiły ściany jadalni w domu przy via Solfatara i przez wiele lat pozostawały świadectwem zwycięstwa, a także obrus z dwunastoma serwetkami oraz bilet kolejowy do Rzymu.

– Scicolone! Scicolone! Scicolone!

Wyznaczony przez produkcję do koordynowania rozkrzyczanej masy statystek mężczyzna, stojący na podwyższeniu naprzeciw tłumu złaknionych i agresywnych kobiet, liczących na dniówkę, wzywał wybrane kandydatki, wywołując je po nazwisku.

W Cinecittà kręcono superprodukcję *Quo vadis?* w gwiazdorskiej obsadzie, na czele z błękitnookim Robertem Taylorem, potężnym Peterem Ustinovem i fascynującą Deborah Kerr.

– Scicolone!

Na ten okrzyk wystąpiły naprzód trzy kobiety. Pierwsza była panią o dojrzałej urodzie, druga młodziutką, kształtną dziewczyną, trzecia brunetką o oliwkowej cerze.

Nadzwyczajny zbieg okoliczności, który spowodował, że wszystkie trzy rywalizowały o statystowanie, poruszył zarówno Romildę z córką Sofią, jak i Nellę Rivoltę, żonę Riccarda Scicolonego. Niechęć i zazdrość zostały uprzejmie odwzajemnione przez obie strony: Romilda nienawidziła kobiety, która jej zdaniem obrabowała ją z prawa do posiadania trwałej i prawomocnej rodziny, Nella zaś była sina z zazdrości w stosunku do kobiety, którą jej mąż kochał wcześniej, i z zawiści o urodę ich córki.

– Te dwie nie są Scicolone! To oszustki! Tylko ja nazywam się Scicolone! Tylko ja jestem panią Scicolone!

Brunetka wykrzykiwała całą swoją złość, biorąc na świadków wszystkie pozostałe kandydatki na statystki. Wskazując na Sofię, obrzuciła ją obelgami.

– Ta tutaj to bękart. Kradnie nazwisko mojemu mężowi i synom!

Nella nie przestawała pokazywać na Sofię i jej matkę, pieniąc się z wściekłości, a tymczasem Romilda, targana przeciwstawnymi uczuciami, gniewem, upokorzeniem, zazdrością, nie znajdowała żadnych słów na obronę.

Sofia po raz pierwszy widziała na oczy żonę swojego ojca i był to najgorszy i najbardziej poniżający sposób, w jaki mogła ją poznać.

Kiedy wróciły do domu goszczącej je kuzynki, Sofia nie przestawała płakać ze wstydu.

Jeśli chodzi o *Quo vadis?*, do którego zdjęcia miały trwać siedem miesięcy, wybrano Sofię do wielokrotnego statystowania.

Zgodnie z instrukcjami matki, pracownikowi, który pytał ją, czy zna angielski, aby włączyć ją do grupy statystów mówiących, odpowiedziała *Yes*. Problem pojawił się w chwili, kiedy asystent producenta i ludzie z jego zespołu zaczęli zadawać pytania po angielsku i jej *Yes* przestało mieć jakikolwiek sens.

– *What's your name?*
– *Yes.*
– *How old are you?*
– *Yes.*

Przyjęto to ze śmiechem, a cała sprawa zwróciła na nią uwagę, dzięki czemu mogła wziąć udział w kilku dodatkowych scenach.

W jednej z nich wcielała się w niewolnicę Plaucjusza, ale największą satysfakcję przyniosła jej jedna ze scen masowych: przepychając się łokciami, zdołała ustawić się na widoku pośród klaszczącego tłumu, wiwatującego na cześć Roberta Taylora, czyli Marka Winicjusza, który przechodził w oddali, niczym mały punkcik na wielkiej rzymskiej arenie.

Uszczęśliwiła ją nie tylko zapłata, której ona i matka bardzo potrzebowały, żeby utrzymać się w Rzymie, ale także emocje wywołane pracą w filmie, w którym grał tak sławny aktor jak Robert Taylor. Był przystojny niczym Tyrone Power, w którym zakochała się, widząc go na ekranie w kinie w Pozzuoli, w filmie *Krew na piasku*. Wraz z nim odkryła Ritę Hayworth, tego ognistego wampa, gwiazdę, która miała zdobyć sławę dzięki *Gildzie*, gdzie zagrała obok Glenna Forda. Po obejrzeniu filmu i powrocie do skromnego domu w Pozzuoli Sofia próbowała przed lustrem w łazience robić miny, jakie podejrzała u aktorki, marząc o tym, by pewnego dnia stać się równie sławną jak ona.

Życie w Rzymie stawało się coraz trudniejsze. Żeby zaprezentować się przed kierownikami castingu, Sofia musiała zgromadzić małą garderobę i kosmetyki potrzebne do makijażu, a były to koszty, którym ona i Romilda nie były w stanie sprostać. Aby mieć porządek na głowie, stosując domowe sposoby układania fryzury, Sofia toczyła przegraną walkę ze swoimi delikatnymi, kasztanowymi włosami.

Popychana przez matkę dziewczyna próbowała wejść do świata filmu, ale była za młoda i nieznana, aby osiągnąć coś więcej niż statystowanie. Jedynym sposobem, żeby zauważył ją ktoś ważny, był udział w konkursach piękności, które we Włoszech końca lat czterdziestych i początku lat pięćdziesiątych były naprawdę liczne. Sofia wsiadała w pociąg i przemierzała kilometry, żeby się tam znaleźć, zajmując niemal zawsze drugie miejsce w różnych konkursach typu Miss Cesena, Miss Sirena, Miss Olio Extra Vergine d'Oliva.

Jako statystka pracowała przy różnych filmikach, w rodzaju *Le sei mogli di Barbablù* (Sześć żon Sinobrodego) albo *Tototarzan*, ale pieniędzy miała z tego niewiele.

Według jednej z opowieści pewnego dnia książę Antonio De Curtis, czyli słynny komik Totò, wyjeżdżając z Cinecittà, zobaczył w niewielkiej odległości od samochodu Sofię i Romildę. Otworzył okno, a Romilda powiedziała mu: „Nie mamy na jedzenie". Wtedy Totò dał jej sto tysięcy lirów.

> Nieprawdą jest, co opowiadają. Sto tysięcy lirów Totò dał mnie. Poszłam na plan, na którym pracował. Miałam zaledwie piętnaście lat. Posadzili mnie w półmroku, ale on i tak mnie zauważył i zapytał: „Kim jest ta mała?". Po czym dodał: „Podejdź tu". Podałam mu rękę, a on włożył do niej sto tysięcy lirów.
>
> Miałyśmy co jeść przez miesiąc.

W poszukiwaniu pracy, mając łut szczęścia, Sofia zdołała zaangażować się do obsady fotoopowieści. „Grand Hotel", „Bolero" i „Sogno" były gazetami cieszącymi się wielkim powodzeniem wśród czytelniczek: dramatyczne, romantyczne miłości i egzotyczne przygody pobudzały marzenia milionów gospodyń domowych i ekspedientek do tego stopnia, że zainspirowało to młodego reżysera Federica Felliniego do nakręcenia filmu *Biały szejk* z Albertem Sordim w roli aktora z fotoopowieści, wielbionego przez czytelniczki.

Pięknej i zmysłowej Sofii zmieniono później nazwisko z Scicolone na Lazzaro, ponieważ bardziej pasowało do wizerunku kobiety fatalnej, jaką miała odgrywać. Zaczęła odnosić pewne sukcesy, trafiając na okładki „Sogno" i zdobywając wielu wielbicieli.

To jednak nie wystarczało. Sofia Scicolone szukała wielkiej okazji, a ta pojawiła się w jednym z lokali na Colle Oppio w osobie bogatego i słynnego producenta, który nazywał się Carlo Ponti.

MISS ELEGANCJI

Tamten dzień zaczął się źle, ale rozwinął się w sposób najlepszy z możliwych. Sofia była dosyć przesądna i pomylenie adresu Carla Pontiego z posterunkiem karabinierów wydało jej się nieszczęśliwym znakiem. Miała wrażenie, że to jakaś wiadomość: wyglądało to tak, jakby władze czaiły się nieustannie, aby kontrolować jej życie, i niewiele się myliła. To ciekawe, że Sofia, choć małomówna, obdarzona jest zdolnością przewidywania, co zostało potwierdzone przez wiele epizodów, jakie przytrafiły się podczas jej bogatego w wydarzenia życia.

Kiedy panna Scicolone weszła w końcu do gabinetów Lux Filmu, patrząc na otaczający ją luksus oraz liczbę sekretarek i urzędników, którzy krzątali się zaaferowani i uniżeni w stosunku do producenta, zrozumiała, że naprawdę trafił jej się łut szczęścia. Pomyślała, że teraz tylko od niej będzie zależało, jak skorzysta z tej okazji. Przestanie być „Miss Poczekalni", jak przezywano ją z powodu ilości prób, które podejmowała w nadziei, że dostanie choćby najmniejszą rólkę. Sofia nigdy nie widziała tak dużego gabinetu jak ten, który zajmował Ponti: wydawał jej się ogromny, niemal jak cały dom przy via Solfatara.

Wyczuwało się nieśmiałość jej piętnastu lat, odwagi dodawały jej jednak wielkie plakaty przedstawiające sukcesy Lux Filmu, a także przepiękne twarze sławnych aktorek uśmiechające się do niej ze ścian: Giny Lollobrigidy, Alidy Valli, Silvany Mangano.

W gabinecie producenta królowało biurko, na którym stało kilka telefonów. Sofia zatrzymała wzrok na tej małej armii aparatów.

Ponti uśmiechnął się, rozumiejąc jej zdziwienie.

– Są konieczne, żeby łączyć się z różnymi liniami międzykontynentalnymi – wyjaśnił z niezwykłą uprzejmością.

W tej właśnie chwili Sofia spojrzała innymi oczami na tego korpulentnego mężczyznę, niezbyt wysokiego, o rzadkich włosach, które z trudem osłaniały początki łysiny. Oczy i uśmiech Pontiego wydały jej się szczere i dodały pewności siebie. Mogła zaufać temu jakże ważnemu i tyle lat starszemu od siebie człowiekowi.

Od pierwszej chwili kiedy poznałam Carla, poczułam, jakbym znała go całe życie, od urodzenia. Każdego dnia można było zobaczyć mężczyzn dużo od niego przystojniejszych, ale byli oni nikim w porównaniu z moim Carlem.

Właśnie tamtego dnia kręcono film produkowany przez Pontiego i postanowił on zrobić Sofii zdjęcia próbne, korzystając z przerwy w pracach.

Plan był gotowy, a dziewczyna przed kamerą miała zapalić papierosa i udać, że pozdrawia kogoś poza kadrem. Sofia nigdy nie paliła, ale doświadczenie zdobyte na planie *Quo vadis?* i innych filmów, w których statystowała, nauczyło ją, żeby nie bać się niczego.

Nazajutrz Ponti spróbował przedstawić młodej kandydatce na aktorkę w sposób dyplomatyczny rezultat próbnych zdjęć, jeśli nie katastrofalny, to niezbyt zadowalający.

W rzeczywistości uwagi krytyczne zgłosił Pontiemu operator: dziewczyna jest za wysoka, zbyt grubokoścista, twarz ma za krótką, usta za duże, nos za długi. Słowem, było jej *za dużo*.

– Twój makijaż na zdjęciach próbnych nie był najlepszy, nie dodawał ci urody, bo był zbyt ciężki i nie pasował do świeżości twojej twarzy – powiedział Ponti. – Rozumiem, malowałaś się sama i można temu zaradzić… – Po czym dodał: – Będziesz musiała przejść na dietę, schudnąć, ponieważ kamera dodaje wiele kilogramów, jeśli chodzi o nos… – i tutaj zrobił pauzę, gdyż był to najtrudniejszy temat do poruszenia, a tymczasem Sofia już się usztywniła, jakby połknęła kij. – Jeśli chodzi o nos, być może da się zrobić jakąś estetyczną poprawkę. Wiesz, dużo aktorek zrobiło sobie zęby i nosy. Nie wierz, że urodziły się takie, jak widzisz je na ekranie…

Carlo Ponti miał w owej chwili na myśli początkującą aktorkę Eleonorę Rossi Drago, piękną i elegancką, która urodziła się jednak z mało fotogenicznym nosem, podobnie jak mało filmowe było jej prawdziwe nazwisko, Palmira Omiccioli. Ponti, który lubił kobiety prawie tak samo mocno jak Riccardo Scicolone, usilnie się do niej zalecał i przekonał ją do operacji nosa.

Sofia, przerażona na samą myśl, że miałaby zmienić rysy twarzy, nie dała się uwieść mirażowi pracy. Z oczami jeszcze bardziej zielonymi od łez rozczarowania, odpowiedziała Pontiemu, że nie zmieni nic w swojej twarzy.

Na swoje szczęście i na szczęście Carla Pontiego.

Dzięki życzliwości Pontiego i jego radom, nie podpisując z nim żadnej umowy, Sofia zaczęła przygotowywać się z większą uwagą do kariery, do której dążyła ze wszystkich sił. Nie było między nimi jeszcze żadnego stosunku fizycznego, ale Ponti bez wątpienia postawił na dziewczynę, przeczuwając, że z surowej poczwarki może narodzić się motyl. Istnieje prawdopodobieństwo, że od czasu do czasu dokładał się do wydatków, które dziewczyna musiała ponosić, żeby poprawić swój wygląd. Niedługo po ich spotkaniu Carlo Ponti miał romans z młodą Szwedką odkrytą podczas jednej z podróży, która nazywała się Maybritt Wilkens. Ponti skrócił jej nazwisko do May Britt, żeby ułatwić publiczności jego zapamiętanie, i obsadził ją w filmie reżyserowanym przez Maria Soldatiego *Jolanta la figlia del Corsaro Nero* (Jolanta córka Czarnego Korsarza).

Z włosami koloru zboża i jasnymi kocimi oczami, które przymykały się w charakterystyczny sposób, kiedy się uśmiechała, May Britt stanowiła fizyczne przeciwieństwo młodziutkiej Scicolone. Los (albo Carlo Ponti?) chciał, że również May Britt, podobnie jak Sofia, wyjechała po latach do Hollywood i w 1960 roku poślubiła wielkiego showmana Sammy'ego Davisa juniora.

Było to jedno z pierwszych małżeństw mieszanych, ale mieli bardzo trudne życie z powodu panującego w tamtych czasach niezwykle silnego rasizmu. Nieprzychylna prasa i zamknięte drzwi największych wytwórni filmowych wystawiły ich miłość na ciężką próbę.

Aktor, który należał do *Rat pack*, bandy szczurów, wraz z Frankiem Sinatrą, Deanem Martinem, Joeyem Bishopem i Peterem Lawfordem, miał zwyczaj żartować z samego siebie, mówiąc, że jest radością rasistów, jako że jest czarnym żydem i kaleką z powodu szklanego oka, na temat którego krążyła przerażająca legenda. Przed poznaniem May Britt Sammy Davis junior spotykał się z blondynką Kim Novak, aktorką, która wśród innych sukcesów miała na swoim koncie główne role w *Pikniku* oraz w arcydziele Hitchcocka *Zawrót głowy* z Jamesem Stewartem. Jakaś rasistowska grupa wysłała do jego domu najemnych zbirów, którzy wyjęli mu oko łyżeczką. On sam twierdził, że stracił je w wypadku. Niezależnie od tego, jaka była prawda, historia ta wiele mówi o purytańskiej hipokryzji i rasowej nietolerancji tamtych czasów. Humor i dowcip były zbyt słabą bronią, która nie mogła obronić Sammy'ego i May przed strasznymi atakami rasistów z całego świata.

W 1950 roku Sofia stanęła do przesłuchania w rzymskim Centro Sperimentale del Cinema, przedstawiając fragment ze sztuki *Assunta Spina*. Jej dykcja, wciąż nieczysta z powodu dialektalnych naleciałości neapolitańskich, jak również wielka trema przesądziły o wyniku tej próby. Sofia, nie dając za wygraną, wciąż uczestniczyła w konkursach piękności, choć nigdy w żadnym nie udało jej się zwyciężyć.

Najważniejszym z nich był wrześniowy konkurs Miss Italia odbywający się w Salsomaggiore. Zainicjowany w 1939 roku i kierowany przez Dina Villaniego, konkurs nie znajdował się jeszcze pod egidą Enza Miriglianiego, który został jego patronem w 1957 roku, ale wyłonił już kilka pięknych dziewcząt, które stały się potem sławnymi aktorkami. Poza Lucią Bosè, Silvaną Pampanini, Silvaną Mangano, Eleonorą Rossi Drago, z jednej z edycji wyszła również Gina Lollobrigida, zaangażowana następnie przez Carla Pontiego. Na jej drodze stanie wkrótce Sofia.

Wyjątkowa uroda, piękne ciało, długie nogi i zmysłowy sposób poruszania się po raz kolejny nie przyczyniły się do zwycięstwa Sofii. Miss Italia została przepiękna brunetka Anna Maria Bugliari, o mitycznych wymiarach osiemdziesięciu sześciu centymetrów w biuście, pięćdziesięciu dziewięciu w talii i dziewięćdziesięciu w biodrach.

Udział w konkursie pozwolił jednak Sofii zdobyć tytuł stworzony specjalnie dla niej przez producenta Antonia Mambrettiego: Miss Elegancji.

Zdjęcia zrobione w Salsomaggiore przez Federica Patellaniego, mistrza fotografii, i przez Fedelego Toscaniego, które podkreślały rysy twarzy dużo bardziej dojrzałe, niżby na to wskazywał jej wiek, trafiły do dziennikarzy, studiów fotograficznych, wytwórni filmowych, a przede wszystkim dotarły raz jeszcze na biurka redaktorów fotoopowieści. Jeden z nich, Stefano Reda, dyrektor „Sogno", powierzył jej rolę w dramatycznej i romantycznej historii, *Non posso amarti* (Nie mogę cię kochać), i pod nazwiskiem Lazzaro Sofia zaczęła zdobywać coraz więcej okładek i wielbicieli. Pozwalała się fotografować w pozach jednocześnie seksownych i niewinnych, na których widać było wystające z szortów majteczki albo siniak na udzie.

Oznaką jej małego sukcesu były dowcipy w rodzaju: „Dlaczego nazywa się Lazzaro? Bo wskrzesza zmarłych"*; „Co robi Sofia w cinquecento? Dobre mięso w puszce".

Pod opiekuńczym skrzydłem Carla Pontiego również strategia reklamowa powierzona została ekspertowi w tej dziedzinie Mariowi Natalemu. Żeby mówiono o młodej debiutantce, a przede wszystkim by oddalić podejrzenie, że jest kochanką producenta, u boku Sofii pojawił się bardzo ceniony przez żeńską publiczność piosenkarz Achille Togliani, który także był ulubionym bohaterem fotoopowieści.

Wysoki brunet o szerokim i zaraźliwym uśmiechu i pięknych rysach twarzy był idealnym kawalerem dla dziewczyny, która zaczynała być w końcu trochę znana. Narzeczonym godnym takich tytułów jak „Grand Hotel", „Bolero" i „Sogno", które razem gromadziły wielomilionową armię czytelniczek.

---

* Lazzaro znaczy po włosku Łazarz (wszystkie przypisy pochodzą od tłumaczki).

Robiąc krok wstecz, jeśli poprzednie miesiące były dla Romildy i Sofii ciężkie, to niewiele się pod tym względem zmieniło i wciąż próbowały wiązać koniec z końcem.

Pierwsze zarobki, choć skromne i nieregularne, pochodzące ze statystowania w *Quo vadis?*, pozwoliły matce i córce na wynajęcie pokoiku przy via Cosenzą, przecznicy via Bari, w rzymskiej dzielnicy urzędników i drobnomieszczaństwa. Odeszły z mieszkania kuzynki, gdzie zmuszone były spać na kanapie i wstawać wcześnie, żeby opuścić pokój, który gościł je w nocy. Kiedy wreszcie zdołają urządzić się w sposób bardziej stabilny, do matki i siostry będzie mogła dołączyć też Maria.

Według niektórych przekazów gospodyni mieszkania przy via Cosenza była sześćdziesięciolatką, pozostającą w związku z dużo młodszym mężczyzną, szybko więc stała się zazdrosna o młodą i seksowną Sofię. Pewnego dnia urządziła dziką scenę, szarpiąc Sofię za włosy i wykrzykując jej w twarz całą swoją złość kobiety do szaleństwa zazdrosnej, oskarżając ją o to, że kradnie jej mężczyznę. Romilda interweniowała, żeby wyrwać dziewczynę z rąk napastniczki, ale kiedy zatelefonowała do Riccarda Scicolonego, skarżąc się i prosząc o pomoc, w odpowiedzi usłyszała tylko, że się doigrały.

Romilda i Sofia znalazły inne lokum w okolicy piazza Bologna, ale zmartwienia się nie skończyły.

Kiedy Romilda podała Riccardowi ich nowy adres, miało miejsce być może najbardziej przykre dla Sofii zdarzenie. W jakiś sposób zarysowywała się charakterystyka losów najsłynniejszej na świecie włoskiej gwiazdy: za każdym razem kiedy Sofia uzyskiwała spokój ducha albo osiągała sukces, w ukryciu czaiła się jakaś trudność albo cierpienie. Radość równoważyła się z bólem. Jeszcze raz władze zdawały się kontrolować jej życie i rozporządzać nim.

Wspominając ten epizod, trudno uwierzyć w to, co wydarzyło się w odległym 1950 roku: Riccardo Scicolone doniósł na matkę i córkę, Romildę Villani i Sofię Scicolone, oskarżając je o to, że utrzymują się z nielegalnych dochodów. Innymi słowy, że się prostytuują. Obie kobiety były zmuszone udać się na policję, żeby dowieść legalności dochodów, które pozwalały im opłacić czynsz i utrzymanie.

Sofia i Romilda musiały udowodnić, że otrzymały swoje skromne zarobki, uczestnicząc jako statystki w *Quo vadis?*.

Jako dowód zaniosły też artykuł prasowy, w którym opisano wybór w Neapolu czternastoletniej Sofii na jedną z dwunastu księżniczek Królowej Morza i związane z tym pierwsze dochody. Rzucająca się w oczy uroda młodej Sofii i jej matki była bronią obosieczną: z jednej strony pokazywała, że kobiety należą do świata filmu i rozrywki, z drugiej strony ich powab mógł przyciągać wielu wielbicieli gotowych zapłacić za ich usługi. Policjanci przekonali się o ich szczerości, ale epizod ten pozostawił po sobie bardzo bolesne konsekwencje i pasmo plotek trudnych w przyszłości do wymazania z pamięci.

Raz jeszcze człowiek ten, niedoszły inżynier Scicolone, zamiast zadbać, co było jego obowiązkiem, o utrzymanie córki, przysparzał jej cierpienia, wymierzał jej moralny policzek i wyrządzał krzywdę, której miała nigdy nie zapomnieć. Ta rana miała się nigdy nie zabliźnić.

Nigdy nie czułam się tak bardzo obrażona i upokorzona jak tamtego dnia na policji, zmuszona bronić się przed pomówieniami własnego ojca. Wydawało się, że za wszelką cenę chce nas odesłać do Pozzuoli. Za tym fortelem kryła się jego żona, która obawiała się, że jeśli zostaniemy w Rzymie, będziemy mogły odebrać jej mojego ojca.

NARODZINY SOPHII LOREN

Matczyne ambicje i chroniczny brak pieniędzy kazały Sofii nie przegapić żadnej okazji i przyspieszać kroku w celu osiągnięcia sukcesu.

Były to niemałe poświęcenia jak dla nastolatki obarczonej już odpowiedzialnością. Każdego dnia uczyła się lawirować między licznymi mężczyznami, którzy narzucali się jej, obiecując protekcję w zamian za seks.

Sofia potrafiła rozpoznać fałszywe obietnice, a w głowie miała tylko jedną obsesyjną myśl: połączyć rodzinę, by w godziwy sposób utrzymać matkę i młodszą siostrę Marię. Jeśli istnieje odpowiedni materiał wyjściowy, to dni i miesiące prowadzące do awansu, poprzez odmowy i upokorzenia, kształtują żelazny charakter. Abstrahując od zapierających dech w piersiach warunków fizycznych, Sofia posiadała nadzwyczajny materiał wyjściowy w postaci inteligencji, gotowości do poświęcenia, umiejętności przewidywania i dyscypliny.

Takie życie naprawdę pozwala ci zyskać to, czego pragniesz, pod warunkiem że masz w głowie uporczywą myśl: chcesz, by ci się powiodło, pracujesz, budujesz, bo to lubisz.

Walczysz, żeby wygrać batalię twojego życia.

Ja chciałam wygrać batalię, której nie wygrała moja matka, i dlatego dzisiaj mogę powiedzieć, że moim jedynym zmartwieniem było to, iż w wieku szesnastu, siedemnastu lat, kiedy zaczynałam swój udział w fotoopowieściach, statystowanie w kinie czy pozowanie do zdjęć, nigdy nie miałam czasu dla siebie.

Czasami kiedy widziałam chłopaka na plaży albo jakąś parę oglądającą zachód słońca, zazdrościłam im i zastanawiałam się: dlaczego ja nie mogę tego mieć?

A potem kreśliłam przed sobą linię prostą, coś w rodzaju sznura: muszę iść naprzód – mówiłam sobie – ponieważ tylko posuwając się do przodu w ten sposób, mogę wygrać. Bo w innym razie kto się mną zajmie? Kto się zatroszczy o mnie i o moją matkę?

Ponieważ byłyśmy naprawdę bardzo zżytą ze sobą rodziną.

Po spotkaniu z producentem Carlem Pontim, choć pierwsze zdjęcia próbne nie były zadowalające, sprawy przybrały lepszy obrót. W sercu dziewczyny, poza wdzięcznością, szacunkiem i podziwem dla człowieka wielkiej kultury i władzy, zaczęło rodzić się tkliwe uczucie.

W życiu Sofii byli już dwaj ojcowie.

Pierwszym był ukochany *papà* Domenico – Dummì, jak nazywano w rodzinie dziadka, który wraz z babcią Luisą wychował ją, obdarzając autentycznym uczuciem rodzica, a którego przez wiele lat mała Sofia uważała za swojego prawdziwego ojca.

Zawsze obecny w chwilach radości, zawsze obecny, kiedy dotykały ją dziecięce przykrości. Wystarczyło spojrzenie *papy*, a natychmiast stawała się posłuszna, wystarczył jego pocałunek, żeby była szczęśliwa i zasnęła w zadowoleniu. To *papà* odejmował sobie chleb od ust, kiedy potrzebowały go jego dzieci, to on wychodził o świcie do pracy, a wieczorem wracał strudzony.

W wieku pięciu lat Sofia przeżyła traumę, której nigdy nie pokonała, odkrywając, że istnieje prawdziwy ojciec, ojciec biologiczny – Riccardo Scicolone. On był ojcem nieobecnym, który opuścił ją i matkę, a potem nie chciał uznać za swoją córkę jej siostrzyczki Marii. Był człowiekiem, który dostarczał jedynie cierpienia, ojcem tylko z nazwy, a nie z czynów.

Teraz pojawił się inny mężczyzna, który z uwagi na wiek mógłby być jej ojcem. Jednak to nie dwadzieścia dwa lata różnicy powodowały, że czuła go w sercu, lecz jego troskliwa obecność w jej życiu, nauki i rady, jakich jej udzielał, uwaga, którą obdarzał ją jako osobę, a nie towar do sprzedania albo kupienia.

Carlo Ponti urodził się 11 grudnia 1912 roku w mieście Magenta. Jego dziadek był burmistrzem Magenty w XIX wieku, ojciec Leone zaś skutecznym i szanowanym zarządcą. Miał dwie siostry, Laurę, która poślubiła architekta Isenghiego, i Lucię, która wyszła za mąż za profesora politechniki Bonicalziego.

Carlo ukończył studia prawnicze w Mediolanie, ale bardziej niż kariera adwokata pociągała go sztuka i literatura, interesował się też polityką z pozycji antyfaszystowskich. Obdarzony wielką inteligencją i racjonalnym umysłem potrafił połączyć kulturę z praktyką. Te zalety spowodowały, że zrobił znakomite wrażenie na założycielu Lux Filmu Renato Gualinim, który postawił go u swego boku jako producenta wykonawczego.

Po długim narzeczeństwie w 1946 roku poślubił córkę generała armii, która wkrótce została adwokatem. Nazywała się Giuliana Fiastri i miała się pojawić w kronikach towarzyskich całego świata, choć nie odczuwała żadnej potrzeby rozgłosu, biorąc pod uwagę surowe i mieszczańskie wychowanie, jakie odebrała w swojej rodzinie.

Carlo Ponti miał z nią dwoje dzieci, Guendalinę, urodzoną w 1951 roku, i Alessandra, który przyszedł na świat we wrześniu 1953 roku, niezapomnianego dla Sofii, ale z zupełnie innych powodów.

Kiedy Ponti spotkał w lokalu na Colle Oppio młodziutką Sofię Scicolone, miał już na swoim koncie serię sukcesów.

Pierwszym z nich był głośny film z 1941 roku *Dawny światek*, nakręcony na podstawie powieści Antonia Fogazzara. Film w reżyserii Maria Soldatiego wylansował w świecie kina młodą baronównę Alidę von Altenburger, która – nie licząc reszty napuszonych nazwisk, von Markenstein und Frauenberg – miała nazwisko trudne do zapamiętania, dlatego też produkcja zmieniła je na Valli.

Alida, którą wielbiciele kina pamiętają z dramatycznej roli w *Zmysłach* Luchina Viscontiego, miała w 1947 roku podbić trudny rynek hollywoodzki swoją rolą dwuznacznej bohaterki w *Akcie oskarżenia* Alfreda Hitchcocka, u boku fascynującego partnera, jakim był Gregory Peck.

Tymczasem *Dawny światek* przysporzył Carlowi Pontiemu problemów politycznych, ponieważ – poruszając temat dziewiętnastowiecznej irredenty przeciwko cesarstwu austro-węgierskiemu – zdawał się nawiązywać do propagandy antyniemieckiej.

Jeśli to prawda, że kultura kazała mu wybrać Fogazzara, a jego poglądy polityczne historię antyniemieckich patriotów, młody

Ponti został na krótko zatrzymany z powodu uzasadnionego podejrzenia o to, że jest antyfaszystą. Było to ostrzeżenie, żeby w przyszłości zachować większą ostrożność.

Pracując dla Lux Filmu, Carlo Ponti nawiązał przyjaźń z innym producentem wykonawczym, młodym, ambitnym neapolitańczykiem Dinem De Laurentiisem, który w 1946 roku osiągnął nadzwyczajny sukces kasowy filmem *Gorzki ryż*, historią rozgrywającą się w środowisku pracownic zatrudnionych na polach ryżowych.

W obsadzie obrazu reżyserowanego przez Giuseppego De Santisa znalazł się kanciarz Vittorio Gassman i fascynujący Raf Vallone, ale zasługą De Laurentiisa było także wylansowanie wspaniałej, rozkwitającej dziewczyny, która przemoczona na polu ryżowym stała się symbolem seksu w bluzeczce podkreślającej spiczaste piersi i w spodenkach odsłaniających cudowne uda z ledwie naciągniętymi czarnymi pończochami. Obraz ten miał się stać ikoną seksu, jak *Gilda* Rity Hayworth, kiedy w wieczorowej sukni zdejmuje powoli długą rękawiczkę z czarnej satyny.

Rzymianka mająca angielską matkę nazywała się Silvana Mangano i stała się wkrótce protegowaną, a potem żoną Dina De Laurentiisa, który stworzył z nią najbardziej atrakcyjną parę włoskiego kina, otoczoną nieustannie świtą fotografów podążających za ich ruchliwym życiem.

Mieli willę przy via Appia Antica, co w owym czasie było nieodzowne, z basenem w stylu hollywoodzkim, na którego brzegu De Laurentiis udzielał wywiadów dziennikarzom tej miary co Oriana Fallaci z „L'Europeo".

Ponti i De Laurentiis, połączeni tą samą ambicją i takim samym węchem, w 1951 roku postanowili założyć własną wytwórnię, która miała produkować filmy kasowe i niezapomniane arcydzieła. Firma Ponti-De Laurentiis korzystała w istocie z usług takich reżyserów jak Vittorio De Sica, Alberto Lattuada, Luigi Zampa, Roberto Rossellini, Alessandro Blasetti, którzy stworzyli dla wielkiego ekranu niezrównane dzieła.

De Laurentiis miał marzenia na wielką skalę; przyjaźń i spółka z Pontim wystawiane były przez cały okres ich współpracy na ciężkie próby, aż do chwili kiedy Dino postanowił za wszelką cenę zrealizować superprodukcję *Wojna i pokój*. Spowodowało to rozłam. Film oparty na powieści Lwa Tołstoja, a reżyserowany przez Kinga Vidora, pochłaniał mnóstwo pieniędzy.

Koszty były ogromne, naprawdę kolosalne, i wynikały, to prawda, z długości trwania zdjęć, które zdawały się nie mieć końca, oraz z konieczności realizowania scen masowych z udziałem pięciu tysięcy piechurów i ośmiu tysięcy kawalerzystów, ale przede wszystkim z gwiazdorskiej obsady, obejmującej najgłośniejsze hollywoodzkie nazwiska.

Na okładkach i na wewnętrznych stronach czasopism pojawiały się liczne zdjęcia Audrey Hepburn w kostiumach kreowanej przez nią postaci, Nataszy Rostowej. Mówiło się o jej romantycznej miłości do męża Mela Ferrera, ale także o jego rywalizacji z Henrym Fondą, kreującym niespokojnego Piotra Biezuchowa, kluczową postać dla wielkiej opowieści Tołstoja. Przy okazji zajmowano się też włoskimi romansami Anity Ekberg.

W obsadzie znalazła się również May Britt, która ze swoimi północnymi rysami na rosyjskich stepach nie wyglądała wreszcie wyłącznie na protegowaną producenta i wydawała się bardziej przekonująca niż jako córka Czarnego Korsarza w swojej debiutanckiej roli.

W latach kolejnych sukcesów Pontiego i De Laurentiisa, na długo jeszcze przed rozwiązaniem ich spółki, gazety zaczęły publikować różne plotki na temat rywalizacji między aktorkami z ich stajni oraz pikantne, zakulisowe szczegóły scysji między dwiema parami włoskiego kina. Z jednej strony małżonkowie De Laurentiis, z drugiej Ponti, protektor młodej i olśniewającej Sofii. Mówiło się, że u podstaw zerwania współpracy między dwoma producentami leżała niezgodność między obiema primadonnami, Silvaną i Sofią.

Ciekawe, że to właśnie w filmie Mangano *Anna* – będącym wielkim sukcesem – historii byłej prostytutki, która zostaje zakonnicą, Sofia miała swoją pierwszą zwracającą na nią uwagę rólkę. Jej nazwisko nie było umieszczone na plakacie, ale przynajmniej wzięła udział w filmie, który miał być oglądany w większej części świata.

Między 1951 a 1952 rokiem Sofia zaczęła pojawiać się w serii filmów wyprodukowanych przez Carla Pontiego.

W jednym z nich, *Era lui... sì! sì!* (To był on... tak! tak!) z Walterem Chiarim, w skąpym stroju niewolnicy z haremu, o której śni Chiari, grała nawet z nagim biustem, ponieważ – jak to było w zwyczaju w tamtych czasach – kręcono dwa razy na różne sposoby tę samą scenę: jedną niewinną na rynek włoski, a drugą sexy, jeśli nie soft porno, na rynek zagraniczny. Duże, okrągłe i sterczące piersi Sofii były arcydziełem, na pewno dużo bardziej niż film.

Prawdopodobne jest, że Ponti nie pominął tego aspektu, rekomendując Sofię przyjacielowi Goffredowi Lombardowi, który rozpoczynał produkcję filmu *Africa sotto i mari* (Afryka pod morzem).

To właśnie Ponti ochrzcił wschodzącą gwiazdkę nazwiskiem, które stanie się sławne na całym świecie. Nie podobało mu się nazwisko Lazzaro, a jeszcze mniej rodowe Scicolone.

Patrząc na wiszący w swoim gabinecie plakat, producent dostrzegł nazwisko Marty Toren, słynnej w tamtych czasach z powodu lodowatych oczu i gorących ról, jakie odgrywała na ekranie.

Toren... Toren... Loren!

Wystarczyło zmienić jedną literę, aby dać Sofii nowe nazwisko.

Kolejnym krokiem było uczynienie bardziej egzotycznym jej imienia, zastępując *f* w słowie „Sofia" bardziej wyszukanym, wyglądającym z angielska *ph*.

Narodziła się Sophia Loren.

Szkoda, że we Włoszech nazywano ją często Sopìa.

SOFIA I GINA

Jeśli nazwisko Sofii Lazzaro przypomina okres, kiedy aby przetrwać wraz z matką, przyszła Sophia Loren mogła liczyć na skromne i nieregularne zarobki z fotoopowieści, to niewiele osób wie, jakie nazwisko ukrywała pod pseudonimem niejaka Diana Loris.

Młoda i prześliczna brunetka – żeby utrzymać się na studiach w Instytucie Sztuk Pięknych – pod tym pseudonimem zaokrąglała swoje dochody, szkicując węglem portrety, a także pozując do fotoopowieści i jako modelka.

W 1947 roku dziewczyna objawiła się w ostatniej edycji konkursu Miss Italia odbywającej się w miasteczku Stresa, przed przeniesieniem imprezy do Salsomaggiore. Zajęła trzecie miejsce: wygrała młodziutka ekspedientka z mediolańskiej cukierni Lucia Bosè. Jako druga sklasyfikowana została Gianna Maria Canale, śródziemnomorska piękność o zielonych oczach i nieco egzotycznych rysach, pochodząca z Reggio Calabria. Canale przedstawiła się w konkursie jako sekretarka pracująca w przedsiębiorstwie, ale w rzeczywistości rok wcześniej zadebiutowała w kinie w filmie Riccarda Fredy, stając się pupilką reżysera również w następnych latach.

Rok 1947 wyłonił w konkursie Miss Italia największą liczbę aktorek. Na czwartym miejscu znalazła się wśród nich także genuenka Palmira Omiccioli, która zyskała sławę pod arystokratycznie brzmiącym nazwiskiem Eleonora Rossi Drago.

Z wielu kandydatek do tytułu Miss Italia te zajmujące pierwsze miejsca zyskiwały zazwyczaj krótkotrwały rozgłos.

W 1946 roku tylko jedna stała się znana, zielonooka rzymianka o bujnych kształtach i przepięknych nogach: nazywała się Silvana Pampanini i została wybrana *ex aequo* z Rossaną Martini w wyniku burzliwych protestów jej zagorzałych wielbicieli.

Natomiast rok 1947 był szczęśliwy dla wszystkich czterech dziewcząt z czołowych pozycji, obdarzonych poza urodą także temperamentem.

W owych czasach łowcy talentów polowali na nowe twarze, przeszukując fotopowieści, zdjęcia publikowane w gazetach, a nawet chodząc po ulicach w nadziei na szczęśliwe spotkanie. Właśnie do stajni Carla Pontiego, który ufał swojemu węchowi, poza elegancką i nieśmiałą Miss Italia, siedemnastoletnią Lucią Bosè, trafiła trzecia w konkursie dziewczyna, która po porzuceniu pseudonimu Diana Loris wróciła do swojego prawdziwego nazwiska – Gina Lollobrigida.

Średniego wzrostu, była *fałszywą chudziną*, jak określano w tamtych czasach dziewczyny szczupłe, mające jednak krągłości we właściwych miejscach. Miała twarz o doskonałych rysach, na której na pierwszy plan wysuwały się oczy wielkie niczym reflektory. Przede wszystkim jednak jej oblicze pokochała kamera, wydobywając jego urodę, przypominającą bardziej anglosaskie piękno Vivien Leigh, czy też austriackie Hedy Lamarr.

Gina urodziła się w 1927 roku w Subiaco, na granicy Ciociarii, ziemi słynącej z mamek, które emigrowały do Rzymu, żeby karmić dzieci szlachty, i z pięknych kobiet, wśród których zasłynęły modelki wybrane w 1901 roku przez palermitańskiego rzeźbiarza Maria Rutellego, dziadka Francesca Rutellego, do pozowania, kiedy tworzył najady zdobiące fontannę na piazza Esedra.

Sofia Lazzaro i Diana Loris: dwa nazwiska, które znikną. W ich miejsce na firmamencie gwiazd filmowych pojawią się Sophia Loren i Gina Lollobrigida.

To przeznaczenie, że obie zadebiutowały w fotoopowieściach pod pseudonimem, jak również to, że zostały odkryte przez tego samego producenta – Carla Pontiego, który miał sprawić, że dwie młode kobiety połączyły sława i rywalizacja.

Lata pięćdziesiąte były czasem, kiedy prasa bawiła się tworzeniem antagonizmów, Włosi znajdowali zaś rozrywkę w kibicowaniu jednej albo drugiej postaci z całą żarliwością kogoś, kto z naiwnym ówczesnym entuzjazmem kochał je albo nienawidził.

Rodził się w ten sposób mit rywalizacji między kolarzami Ginem Bartalim i Faustem Coppim, dwoma czempionami, którzy w latach 1940–1954 podzielili włoskich sportowców, czyniąc ich podobnymi do siebie również pod względem przeciwstawnych sympatii politycznych: Coppi lewicowiec, a Bartali zwolennik chrześcijańskiej demokracji, niczym Peppone i Don Camillo, postacie ożywione przez wyobraźnię Guareschiego, które w sposób metaforyczny ucieleśniały rozłam elektoratu między chrześcijańskich demokratów a komunistów.

Fausto Coppi, superczempion, który osiem razy wygrał Giro d'Italia, nieśmiały i na pewno nie adonis, stał się bohaterem kronik towarzyskich z powodu swojej cudzołożnej miłości do pani Occhini, określanej przez prasę, kiedy nieznane było jeszcze jej nazwisko, *Białą Damą*.

Renata Tebaldi czy Maria Callas? Ich rywalizacji poświęcono litry farby drukarskiej, dzieląc melomanów w zagorzałych utarczkach. Kto wielbił anielski głos Tebaldi, musiał mierzyć się z oszalałymi fanami Marii Callas.

Gruba na początku kariery, utalentowana sopranistka poślubiła bogatego przemysłowca Giovanniego Battistę Meneghiniego, który zakochał się w jej cudownym głosie i stał się jej Pigmalionem. Maria, w odróżnieniu do Tebaldi, była osobą obdarzoną żelazną wolą, postanowiła więc zostać nie tylko znakomitą śpiewaczką, ale także piękną kobietą.

Poddała się żelaznej diecie i straciła dziesiątki kilogramów (mówiło się, że połknęła solitera, który uniemożliwiał jej przyswajanie pożywienia), i taka wychudzona, z wielkimi oczami podkreślonymi pełnym dramatyzmu makijażem, w koku, który towarzyszył elegancji sylwetki, grecka Amerykanka Maria Anna Sophia Cecilia Kalogheròpoulos przemieniła się w Marię Meneghini Callas.

Włoszka z wyboru, stała się diwą *par excellence*, podbijając widownię w najważniejszych teatrach operowych świata, od La Scali po Metropolitan. Niezwykle elegancka w strojach, które Biki tworzyła specjalnie dla niej, Maria stała się ulubienicą najbardziej poczytnych tygodników, poczynając od „Oggi" kierowanego przez Edilia Rusconiego, po „La Settimana Incom", „Tempo" i „Epoca", aż trafiła do prasy zagranicznej.

Pojedynek Tebaldi-Callas przyciągał wszędzie pasjonatów opery, którzy nie zamierzali nawet na krok ustąpić ze swoich pozycji.

Nie trzeba było wiele, biorąc pod uwagę te precedensy, by zasugerować Enricowi Lucheriniemu albo Mariowi Natalemu, któremu Carlo Ponti powierzył troskę o interesy Sophii Loren, obmyślenie burzliwej rywalizacji z aktorką w tamtej chwili od niej sławniejszą.

Jak i kiedy – było tylko kwestią czasu, a szczęśliwa okazja pojawiła się bardzo szybko.

Według znakomitego krytyka filmowego Giana Luigiego Rondiego to Lucherini wymyślił rywalizację między Giną i Sofią, ale sam Lucherini temu zaprzecza. Moment był korzystny i prasa zaczęła na ten temat fantazjować, za przyzwoleniem producenta Carla Pontiego, któremu – *ça va sans dire* – wcale nie było z tego powodu przykro.

Zróbmy krok wstecz. Ponti wyczuł, że będzie mógł ukształtować młodą debiutantkę Ginę Lollobrigidę, świeżo po wyborach w konkursie Miss Italia, aż zrobi z niej czołową aktorkę. Z jej czystej twarzy mogło narodzić się niezapomniane oblicze, jeśli wspomogłyby ją na planie dobrze ustawione światła i makijaż wydobywający jej osobowość.

Żeby ją wylansować, Ponti wybrał film obyczajowy, w którym potępiano osiąganie łatwych sukcesów poprzez ukazanie dramatu naiwnych i nieroztropnych młodych dziewcząt.

Film nosił tytuł – cóż za przypadek – *Miss Italia* i obok Lollobrigidy w najważniejszej roli grała aktorka amerykańska Constance Dowling. Równocześnie z rozpoczęciem zdjęć, bez żadnych wyjaśnień, Dowling porzuciła nagle pisarza i poetę Cesarego Pavesego, z którym pozostawała w burzliwym związku. On tak to przeżył, że po kilku miesiącach odebrał sobie życie w turyńskim hotelu, napisawszy wcześniej poruszający wiersz odnaleziony w jego papierach: *Przyjdzie śmierć i będzie miała twoje oczy.*

W krótkim czasie Gina Lollobrigida zyskała sławę. Zaczęło się od okładki w tygodniku „Epoca", gdzie podpisano zdjęcie w ciekawy sposób: „Gina Lollobrigida, piękniejsza od swojego nazwiska".

W stosunku do każdego, łącznie z producentem Carlem Pontim, kto sugerował jej zmianę tego długiego, śmiesznego, trudnego do wymówienia nazwiska, Gina opierała się ze wszystkich sił. Takie było jej nazwisko i zamierzała je zachować.

Astronomiczny sukces kasowy osiągnęła Gina w 1953 roku filmem *Chleb, miłość i fantazja* w reżyserii Luigiego Comenciniego. Opowiadał on historię „bersalierki", bystrej dziewczyny, która jeździła po świecie na grzbiecie osła i mówiła z akcentem z Ciociarii. Miała wyjątkowego partnera, wielkiego, wspaniałego aktora Vittoria De Sicę, który w roli marszałka karabinierów szastał z dobrodusznością całą swoją uwodzicielską sztuką.

Gina była bezczelnym, namiętnym łobuziakiem i musiała zmierzyć się z „akuszerką" Marisą Merlini oraz z nadzwyczajną Tiną Picą. Jej ukochanym był niezdarny karabinier Roberto Russo, w życiu prywatnym narzeczony apetycznej subretki Sandry Mondaini.

Nie trzeba dodawać, że dzienniki, tak samo wczoraj jak i dzisiaj, wyolbrzymiły historię zazdrości między ostrą Sandrą Mondaini a prześliczną Lollobrigidą, a wszystko to przyczyniło się do reklamy filmu i jego powodzenia.

W tamtym czasie pojawiło się określenie *maggiorata*: w jednym z epizodów *Trudnych czasów* w reżyserii Alessandra Blasettiego – *Proces Friny* – pyszałkowaty i nadęty adwokat, grany przez Vittoria De Sicę, nazywał w ten sposób oskarżoną Ginę Lollobrigidę, błagając sędziów, by okazali taką samą łaskawość, jaką otrzymałaby jej *minorata*, która była tymczasem... *maggiorata**!

---

* Nieprzetłumaczalna gra słów: *minorato* (*-a*) znaczy w języku włoskim „upośledzony fizycznie albo psychicznie", zatem *maggiorata* byłaby przeciwieństwem, kimś szczodrze obdarzonym przez naturę. Słowo to występuje dziś w znaczeniu „seksbomba".

W następnym roku, 1954, przyszła kolej na *Chleb, miłość i zazdrość*, również w reżyserii Comenciniego, z obsadą, którą ożywiali nieodzowni Vittorio De Sica i Tina Pica.

Sukces był znowu nadzwyczajny, do tego stopnia, że w 1955 roku Ponti chciał spróbować trzeciego strzału, proponując Ginie powrót na plan. Ona, mimo wielu nalegań, odmówiła. Wydawało jej się, że to przesada, i czuła się gotowa do gry w filmach bardziej zaangażowanych.

Co się wydarzyło? To oczywiste, rola w filmie *Chleb, miłość i...* zaproponowana została Sophii Loren. Nieobecność Giny Lollobrigidy jako głównej bohaterki stała się nadzwyczajną okazją.

Młoda Sofia, która w 1955 roku kończyła dwadzieścia jeden lat, była seksbombą, dla której tracili zmysły dojrzały Vittorio De Sica i młody Antonio Cifariello. Sofia osiągnęła szczyt, tańcząc na swój sposób *Mambo italiano* w czerwonej sukience, która podkreślała jej bujny biust i szczupłą talię. Towarzyszył jej De Sica, ale nie mógł konkurować z krokami, które przy dźwięku mamba wykonywała Sofia, poruszając piersiami i biodrami.

Rozpoczął się w ten sposób pojedynek, który stawiał naprzeciw siebie Sofię i Ginę. Reklama i prasa dociskały pedał rywalizacji.

Twarz przeciwko twarzy, piersi przeciwko piersiom, dwa włoskie symbole seksu rozbudzały dyskusje wśród kobiet i mężczyzn. Jedni woleli lalkową urodę Giny, inni zmysłową moc ciała Sofii.

Strategia rywalizacji wydawała owoce, czyniąc coraz sławniejszą Sophię Loren, nie niszcząc przy tym sławy Giny Lollobrigidy, która z tego pojedynku wyszła wręcz wzmocniona.

Wkrótce miał nastąpić początek międzynarodowej kariery Giny, ochrzczonej już przydomkiem „la Lollo". Grając w *Fanfan Tulipan* z Gérardem Philipem i w *Dzwonniku z Notre Dame* z Anthonym Quinnem w roli garbusa Quasimodo, Gina podbiła Francję.

Jej skrócone nazwisko było tak sławne, że jeden z biustono-szy nazwano *lollò*, bo nakładając go, inne kobiety miały wrażenie, jakby ich piersi były równie doskonałe.

Warto przypomnieć, że *Fanfan Tulipan*, historia miłosna osadzona w czasach Ludwika XV, odniósł tak wielki sukces, iż w 2003 roku pomyślano, by zrobić jego remake z Penelope Cruz i Vincentem Perezem. Nic z tego, film nie stał się *blockbusterem*, to znaczy nie przyniósł oczekiwanego efektu, chociaż Perezowi zostawała satysfakcja, że był eksukochanym madame Sarkozy, w życiu świeckim Carli Bruni.

Sofii przybywało sławy i lat. Jej uroda stawała się bardziej wy-rafinowana, poprawił się makijaż i fryzura, ale to wymiary seks-bomby pozwalały jej zdobywać okładki czasopism i sesje foto-graficzne.

Przed wyznaczonym starciem z Giną Lollobrigidą Sofia za-grała w serii filmów, które następowały po sobie z nadzwyczajną szybkością, od *Aidy*, gdzie Sofia, pomalowana ciemną szminką i w peruce afro, dubbingowana była przez samą Renatę Tebaldi, aż po *Karuzelę neapolitańską*.

Rok 1953, dwa lata przed nakręceniem *Chleb, miłość i...*, był rokiem próby dla aktorki Sophii Loren, która spośród bardziej znanych filmów zagrała w *Dwóch nocach z Kleopatrą* i w ważnej koprodukcji w reżyserii Pietra Franciscieg o *Attyla*.

W roli Huna Attyli wystąpił Anthony Quinn, źródło zakuli-sowej opowieści, która dobrze opisuje, jak to stosunki między bohaterami filmu nie zawsze są idylliczne.

Przed sceną, w której barbarzyńca Attyla miał uwieść piękną Rzymiankę Honoris, graną przez Sofię, ktoś z produkcji uprzedził

Quinna, żeby obchodził się delikatnie z dziewczyną, bo jest ona protegowaną producenta filmu Carla Pontiego. Quinn postanowił nie brać pod uwagę tego zalecenia, które podcinało skrzydła jego sztuce aktorskiej, a wręcz zachmurzył się i powziął zemstę.

Podczas zdjęć do sceny uwodzenia, która odbywała się w trakcie uczty, miał włożyć do ust udziec jagnięcy, rozszarpać go zębami, jak przystało „biczowi bożemu", a potem pocałować biedną Sofię. Zamiast udawać, z wielkim kawałem udźca w ustach pocałował ją naprawdę.

Sofia pokazała aktorską klasę, nie krzywiąc się ponad to, czego wymagał scenariusz. Później, po jakimś czasie, wyznała, że scena ta była jedną z najbardziej odrażających doświadczeń jej rozpoczynającej się kariery.

Rok 1953 nie był jednak wyłącznie czasem wylansowania w wielkim stylu Sophii Loren.

Był to rok, którego – podobnie jak pierwszego spotkania z Carlem Pontim – nigdy nie zapomni.

Carlo Ponti wylansował aktorki tej miary co Silvana Mangano i Gina Lollobrigida.

Kiedy w wieku piętnastu lat spotkałam go po raz pierwszy w jego biurze po wieczorze na Colle Oppio, powiedziałam mu: „Niech pan spróbuje coś dla mnie zrobić, bo potrzebuję pracy".

Stopniowo, powoli, spotykaliśmy się, widywali i z czasem historia ta stała się ważna dla mnie, a potem także dla niego.

W ten sposób minął z górą rok od pierwszego spotkania. Ponieważ był żonaty, nie poczuwałam się do tego, aby postawić go w sytuacji „albo, albo", także dlatego, że w takim wieku, a miałam wówczas zaledwie szesnaście lat, nie można robić takich rzeczy.

A poza tym było mi przykro.

Potem, kiedy kręciłam *La donna del fiume* (Kobieta znad rzeki), nasz związek stał się czymś ważnym.

Skończyłam dziewiętnaście lat.

W 1953 roku, kiedy 20 września Sofia skończyła dziewiętnaście lat, Carlo podarował jej na urodziny pierścionek z diamentem. Pierścionek zaręczynowy.

DZIECIOM SIĘ NIE PŁACI

— Pierścionek zaręczynowy? Jak to, przecież on jest żonaty i ma dwoje dzieci, drugie nowo narodzone! Oszalałaś!

— Mammì, Carlo jest mężczyzną mojego życia! Bez niego nie istnieję! Nieważne, że jest żonaty! Wystarcza mi, że kocha mnie tak bardzo jak ja jego!

Kiedy Ponti wręczył jej pierścionek w czasie przerwy w zdjęciach, Sofia z bijącym jak oszalałe sercem przyjęła najpiękniejszy prezent urodzinowy, o jakim mogła zamarzyć.

Pierścionek z brylantem!

Ponti poprosił pannę Scicolone na stronę i otworzył jej lewą dłoń. W milczeniu ścisnął ją potem wokół maleńkiego pudełeczka. Spojrzał dziewczynie w oczy, a jego wzrok powiedział jej najpiękniejsze słowa miłości.

Sofia uciekła do garderoby i wybuchła płaczem, rozmazując charakteryzację. Łzy szczęścia przeszły w łkanie i zupełnie wyczerpały młodą aktorkę. Ines Bruscia, która z czasem stała się cenną przyjaciółką, zaniepokojona, że stało się coś poważnego, przybiegła natychmiast, ale zaraz potem zobaczyła na lewym palcu serdecznym Sofii pierścionek i sama wzruszyła się do łez.

Po powrocie do domu szalona ze szczęścia Sofia pokazała podarunek matce, ale reakcja Romildy była odmienna. Nie pochwalała ukrywanego przed oczami wszystkich związku między Pontim a córką. Wydawało jej się, że ponownie przeżywa cierpienia, jakich sama zaznała z powodu Riccarda Scicolonego, człowieka, który dał jej dwie córki, ale zdradził ją w najgłębszych uczuciach.

Romilda widziała w Sofii na swoje podobieństwo ofiarę mężczyzny, który wystawi ją na społeczny wstyd, kochanka, który wykorzysta jej miłość, nie mogąc jej nigdy zapewnić stabilnej pozycji. Słowem, który nigdy nie da jej godnego szacunku życia żony.

W latach pięćdziesiątych i sześćdziesiątych we Włoszech nie istniała instytucja rozwodu, wprowadzona dopiero w 1970 roku, a w 1974 roku poddana powszechnemu referendum, w którym obywatele wypowiedzieli się na korzyść rozwodów.

W owym czasie dla Włochów, którzy wzięli ślub kościelny, jedyną możliwością rozwiązania małżeństwa była decyzja trybunału Świętej Roty, który po długim i kosztownym postępowaniu stanowił jedyną władzę zdolną stwierdzić nieważność małżeństwa.

Warunki, jakie musiały zostać zaakceptowane przez małżonków w chwili przyjęcia sakramentu małżeństwa, były trzy: *bonum prolis* – chęć posiadania dzieci, *una caro* – związek cielesny, i *mutuum adiutiorium* – czyli obietnica wzajemnego wsparcia. Do stwierdzenia nieważności małżeństwa według prawa kanonicznego wystarczyło, żeby tylko jeden z warunków nie został zaakceptowany przez któregoś ze współmałżonków.

Wydawało się natomiast, że w chwili celebrowania ślubu kościelnego, zarówno Carlo Ponti, jak i Giuliana Fiastri zgadzali się na wszystkie trzy warunki, a zatem ich małżeństwa nie można było uznać za nieważne.

Potwierdził to trybunał Świętej Roty, do którego kilka lat później zwrócił się Ponti: on i Fiastri wobec Boga i ludzi na zawsze pozostaną mężem i żoną.

– Jesteś skazana na pozostanie dożywotnią kochanką! On nigdy nie będzie mógł cię poślubić, zdajesz sobie z tego sprawę czy nie, Sofio?

Matczyne wyrzuty po części były podyktowane także tym, że Romilda jeszcze do niedawna zajmowała się we wszystkim pracą córki, a teraz czuła, że obecność Pontiego usuwa ją w cień. Była więc o to zazdrosna.

Ciężkie zawsze było i takim pozostawało życie z Romildą Villani, która cierpiała z powodu swoich porażek i dlatego nieustannie gnębiło ją poczucie niedowartościowania.

Niedoszła aktorka, niezamężna, zdradzona matka przeżywała inną nieopisaną zgryzotę: najmłodsza w rodzinie, łagodna, słodka Maria nigdy nie została uznana przez ojca.

– Riccardo, musisz uznać swoją córkę Marię. Nie możesz dłużej uchylać się przed odpowiedzialnością. Maria ma teraz szesnaście lat i jest już kobietą. Chce chodzić z podniesioną głową. Wiesz, co wycierpiała ta dziewczynka, kiedy musiała zdać egzamin w piątej klasie? – gnębiła go Romilda przez telefon, powtarzając niedoszłemu mężowi tę samą śpiewkę w chwili, kiedy być może musiał wstać od wspólnej kolacji z żoną i dziećmi, żeby z nią porozmawiać. – Musiałam zabrać ją ze szkoły, bo kiedy odkryła, że na jej dokumentach nie widnieje nazwisko ojca i że nazywa się Villani jak ja, wstydziła się jak jakaś złodziejka!

Riccardo też nie ustawał w powtarzaniu tej samej obraźliwej odpowiedzi.

– Ale jaka tam córka! Maria nie jest moją córką i doskonale o tym wiesz! Dobrze policz i od kogo innego zażądaj nazwiska, na którym tak bardzo ci zależy!

Romilda znów przypuszczała atak na Riccarda, ale daremnie. W obliczu jego obraźliwych zaprzeczeń czasami zmieniała taktykę i przechodziła do gróźb. Pewnego wieczoru wykrzyczała mu w twarz: – Będziesz musiał się płaszczyć, prosząc o wybaczenie! Zobaczysz, Sofia rolą w *Aidzie* już zdobyła sławę, a kiedy pojedzie do Hollywood, staniesz się dla nas nikim! Kiedy będziemy bogate, przypomnimy sobie, że jesteś gnidą, że wszyscy jesteście gnidami, ty i twoja nikczemna rodzinka!

– Bogata? To dlaczego mi nie zapłaci, jeśli tak bardzo zależy jej na nazwisku siostry?

Sarkazm Riccarda Scicolonego trafił w zdesperowaną Romildę, jakby wymierzył jej policzek.

Kiedy we łzach przekazała Sofii odpowiedź jej ojca, dziewczyna przyjęła ją do wiadomości z niespodziewanym chłodem, w całkowitym kontraście do wzburzonej reakcji matki, która groziła, że zabije Riccarda.

Podjęła decyzję.

Kupi, tak, kupi to nazwisko od człowieka, który wystawił je na sprzedaż. Wyłoży każdą sumę i da temu ojcu, który każe sobie płacić za wypełnienie swojego obowiązku.

Nawet gdyby miała znów cierpieć głód, pieniądze zarobione w *Aidzie* rzuci w twarz człowiekowi, który swoim oburzającym zachowaniem zdradzał nie tylko kobietę, którą kiedyś kochał, i córki, ale przede wszystkim uwłaczał poczuciu honoru.

... dzieciom się nie płaci.

Dzieci się też nie kupuje.

Ileż prawdy zawiera się w roli Sofii, która przyniosła jej nominację do Oscara dla najlepszej aktorki w arcydziele wyprodukowanym przez Pontiego w reżyserii Vittoria De Siki *Małżeństwo po włosku* z 1964 roku, nominowanym także jako najlepszy film obcojęzyczny.

Kiedy była prostytutka Filumena Marturano rzuca w twarz Domenicowi Sorianowi, granemu przez Marcella Mastroianniego, banknot, na którym zapisała datę poczęcia syna, i nie wyjawia mu, które z trojga jest jego dzieckiem, wygląda to tak, jakby w tej scenie Sofia rzucała pieniądze w twarz Riccardowi, przeżywając na nowo niszczące emocje, jakie ścisnęły jej gardło – poniżenie, gniew, urażoną dumę – w dniu, kiedy podpisała dokumenty, żeby kupić siostrze Marii nazwisko Scicolone.

Zapłaciłam dwa miliony lirów w obecności notariusza.

To tak, jakbym ja była prawdziwym ojcem Marii.

Było to dla niej ważne, żeby chodzić do szkoły...

W tamtych czasach, jeśli nie miałaś nazwiska, traktowano cię źle...

To, że istniała teraz jeszcze jedna Scicolone o imieniu Maria, doprowadziło jednak do furii inną kobietę.

Wstrząs musiała teraz przeżyć żona Riccarda. Matka dwóch synów, Giuseppego i Giuliana, Nella Rivolta bała się, że Romilda zdoła odebrać jej męża i przekona go, by opuścił ją i chłopców, aby odbudował rodzinę z Sofią i Marią.

Dla mężczyzny, o którego toczyła się walka, były to ciężkie czasy.

Nella tak bardzo knuła, że Scicolone dopuścił się kolejnego świństwa. Lista nieprzyjemności, jakie spotkały Romildę i jej córki, wzbogaciła się o kolejny brzydki epizod, który – za sprawą coraz większej popularności młodej Sophii Loren – zagościł na łamach prasy.

Żeby uspokoić oszalałą furię, jaka dręczyła go w domu, Scicolone nie znalazł lepszego sposobu niż wytoczenie sprawy o zaprzeczenie ojcostwa Marii. Jak stwierdził, uznanie ojcostwa w obliczu notariusza można było określić jako farsę i oszustwo.

Skromnie ubrana, piękna i wyniosła Sofia, za którą podążał orszak fotoreporterów, wezwana została do pulpitu świadków, żeby odeprzeć oskarżenia ojca. Jej zdecydowana i spokojna postawa, twarz niczym lodowata maska i błysk w przepięknych oczach naznaczonych niedającym się wymazać cierpieniem, przekonały sędziów do odrzucenia pozwu Scicolonego.

Kiedy Sofia wróciła do domu po złożeniu zeznań w sądzie, utraciła kontrolę nad sobą, którą zachowała aż do tej chwili, i wstrząsnął nią konwulsyjny płacz.

Przypomniała sobie szok, jaki przeżyła, kiedy w wieku pięciu lat odkryła, że *Dummì* nie jest jej ojcem. Niemal odbierając jej oddech, zalał ją przypływ bolesnych wspomnień lat spędzonych z matką, która zadręczała się, żeby odzyskać Riccarda. Przypomniała sobie dzieciństwo w towarzystwie Marii, miłej, wesołej i bezbronnej siostrzyczki, opuszczonej przez prawdziwego ojca. Jeszcze raz poczuła straszliwe upokorzenie szarpiące jej serce na wspomnienie ojca, który doniósł na nią, oskarżając o prostytuowanie się.

„Tylko ja nazywam się Scicolone! Tylko ja jestem panią Scicolone!"
Wrzaski Nelli Rivolty znów rozległy się w jej uszach i po raz kolejny poczuła wstyd pod pełnymi nagany spojrzeniami statystek z *Quo vadis?* tłoczących się w Cinecittà.

Nie starczało jej już łez.

Sofia zrozumiała, że od tej pory nie będzie już płakała z powodu swojego ojca. Nawet kiedy ten umrze.

Nie, nigdy więcej nie uroni łzy.

Nie lubię słabych ludzi. Zawsze przełykałam łzy, nigdy nie byłam płaczką. Moja matka Romilda była kobietą bardzo silną i inteligentną i przekazała mi wiele zalet: silną wolę, poczucie walki.

Łzy nigdy łatwo mi nie przychodziły.

Nella wyszła z całej sprawy pokonana, na celownik wzięły ją gazety, które odkryły, że pracowała jako *świetlik* – tak nazywano w tamtych czasach obsługę, która odprowadzała widzów na miejsce z zapaloną latarką podczas seansów filmowych.

Oczywiście nic w tym złego, ale dziennikarze żartowali sobie z niej na zasadzie prawa przeciwwagi, bo Nella Rivolta skazana była na częste oglądanie na ekranie kina, w którym pracowała, znienawidzonej córki swojego męża – Sophii Loren.

AUDREY I SOPHIA – DWIE GWIAZDY, JEDNA BOLESNA PRZESZŁOŚĆ

Cierpienie wywołane opuszczeniem przez ojca łączyło aktorkę z Pozzuoli z inną młodą kobietą, która wyrosła w Arnhem w Belgii – córką baronowej Elli van Heemstra i angielskiego gentlemana, niewiele mającego z tym określeniem wspólnego, przystojnego, wysokiego i łysiejącego na skroniach. Wrócił do Anglii, nie wahając się porzucić żony, dwóch pasierbów i małej, która dopiero skończyła sześć lat.

Dziewczynka, wyrosła bez obecności ojca Josepha Rustona, dodała do swojego nazwisko babci ze strony matki, Hepburn. Kochała taniec i kontynuowała jego naukę, mimo że druga wojna światowa pozbawiła jej rodzinę, poza pokojem i wolnością, także niemal wszystkich dóbr materialnych.

Podczas gdy Sofia zjadała laleczki z suchego chleba skradzione babci, Audrey i jej rodzeństwo, biedni i wygłodniali, pewnego razu musieli się pożywić chrupkami dla psów, które udało im się szczęśliwe zdobyć.

Ciemnowłosa dziewczynka o ogromnych sarnich oczach została sławną aktorką, uwielbianą przez swoich niezliczonych admiratorów pod nazwiskiem Audrey Hepburn. Nieobecność ojca, a wręcz odmowa z jego strony, by widywać się z córką w okresie dzieciństwa i dorastania, na zawsze naznaczyła dorosłe już życie kobiety, przysparzając jej cierpień i czyniąc nieszczęśliwymi jej miłosne historie. Podobnie jak Sofia szukała ona w mężczyznach postaci ojca, którego mogłaby pokochać. Stało się tak z Melem Ferrerem, sporo od niej starszym aktorem i reżyserem, który był już trzykrotnie żonaty i rozwiedziony.

W 1954 roku Audrey zdobyła Oscara za rolę w *Rzymskich wakacjach*. W filmie zainspirowanym postacią Małgorzaty, siostry królowej Anglii Elżbiety, była uroczą księżniczką duszącą się w gorsecie etykiety i pragnącą poznać prawdziwe życie, czego zabraniało jej otoczenie.

Partnerował jej Gregory Peck w roli dziennikarza, który odkrywa prawdziwą tożsamość dziewczyny i zabiera ją na przejażdżkę vespą po Rzymie. Audrey kurczowo obejmuje go na skuterze. Film, a szczególnie ten obraz, stały się częścią zbiorowej pamięci. Kadr z filmu pojawia się dziś jeszcze na pamiątkowych pocztówkach drukowanych dla turystów odwiedzających Rzym.

Kiedy Audrey w 1954 roku wraz z mężem Melem Ferrerem przybyła do włoskiej stolicy, by wziąć udział w superprodukcji wytwórni Ponti-De Laurentiis *Wojna i pokój*, była tuż po nakręceniu innego filmu, który odniósł sukces i znalazł miejsce w historii kina. Nosił tytuł *Sabrina* i wylansował aktorkę jako ikonę stylu, jeśli chodzi o stroje, brwi w kształcie skrzydła mewy i linię strzyżenia włosów.

Podczas pobytu w Rzymie – a zapowiadało się wiele miesięcy zdjęć – Audrey zamierzała żyć w wygodny sposób, jakby była u siebie w domu.

Ona i Ferrer zaangażowali przyjaciół i kolegów z ekipy do poszukiwań domu odpowiadającego ich wymaganiom, ale nie było to łatwe, bo Audrey miała bardzo wyraźną wizję i nic nie zdawało się odpowiadać jej pragnieniom. W końcu wyspecjalizowana agencja pokazała małżonkom Ferrer „La Vigna", posiadłość poza murami Rzymu.

Wiejska budowla położona na otwartej przestrzeni urządzona była jak miejski dom. Audrey była jeszcze bardziej szczęśliwa, kiedy odkryła, że w pobliżu willi hoduje się dużo zwierząt. Wśród swoich ulubieńców odkryła małe oślątko, z którym pozwoliła się sfotografować Normanowi Parkinsonowi. Uśmiechnięta, z krótko ostrzyżonymi włosami nadającymi jej psotny wygląd, w spodniach w kratkę i balerinach na nogach, obejmowała uszczęśliwiona zwierzątko ku radości swoich wielbicieli.

W następnym, 1955 roku, Sofia żyła już w sekretnym konkubinacie z Carlem Pontim.

Z małego poddasza przy via Ugo Balzani, w okolicy piazza Armellini, rodzina Sofii przeprowadziła się do nowego, dużego mieszkania w dzielnicy Salario, przy via di Villa Ada, w pobliżu katakumb Priscilli. W kwietniu pozowała dla „Tempo", dumna ze stylowego urządzenia wnętrza, bogatego w chińskie wazony, stoliki w stylu empire, aksamitne kanapy w kolorze perłowej szarości, „tak jak pościel", wyznała przeprowadzającemu z nią wywiad dziennikarzowi. W rzeczywistości Ponti przeniósł ją do skrzydła swojego luksusowego i przestronnego apartamentu w centrum Rzymu.

Oficjalnie Sofia spała z matką Romildą i siostrą Marią w domu w Salario, wyposażonym w cztery sypialnie i dwie łazienki, brakowało w nim jednak książek i płyt. Prasa po raz kolejny podkreślała „wojnę gwiazd", mówiąc, że Sophia Loren ze swoim mieszkaniem przy via di Villa Ada staje w szranki z Giną Lollobrigidą, borykającą się z urządzaniem nowej willi przy Appia Antica. Dla młodej aktorki był to natomiast sposób zachowania pozorów, a także osłona przed ewentualnym oskarżeniem o cudzołóstwo, jakie mogła wysunąć Giuliana Fiastri wobec męża Carla.

Nie zawsze jednak słowa Sofii dyktowane były ostrożnością.

Dotyczyło to na przykład epizodu, który miał miejsce podczas kolacji w wyłożonych terakotą salonach willi „La Vigna" w trakcie niekończących się zdjęć do *Wojny i pokoju*. Umknął on na szczęście światowym kronikom towarzyskim, ale nie perfidnym wspomnieniom jednego z gości.

Przyjęcie zostało wydane przez Audrey i Mela Ferrera w obecności – wśród nielicznych uprzywilejowanych – ich przyjaciela Michaela Powella, angielskiego reżysera, który nie pozostawił wielkiego śladu w pamięci widzów, poza *Czerwonymi trzewikami* z Moirą Shearer i *The Elusive Pimpernel* z Davidem Nivenem.

Państwo Ferrer wydali kolację na cześć producentów *Wojny i pokoju*, Dina De Laurentiisa, który przybył w towarzystwie żony Silvany Mangano, oraz Carla Pontiego z Sophią Loren u boku.

Powell zachował niezatarte wspomnienie tego wydarzenia i opisał je w pamiętnikach.

Silvana Mangano, przepiękna mimo czarno-srebrnej kreacji, jaką miała na sobie – o kroju w kształcie worka, co było wówczas w modzie, ale zasłaniało piersi i biodra – usiadła na kanapie, z której już się nie ruszyła i niemal przez cały czas trwania przyjęcia nie odezwała się słowem. Być może odczuwała już pierwsze symptomy depresji, która miała jej towarzyszyć przez całe życie. Piękna, milcząca i nieprzystępna.

Natomiast Sophia Loren podeszła do Audrey, starając się nawiązać konwersację, która dla wszystkich obecnych przebiegała

z miernym skutkiem, prowadzona w przynajmniej trzech językach: po włosku, angielsku i francusku.

Dziwny kontrast.

Dwie piękności jakże odmienne, jedna, Sofia, ubrana na czer-
wono, przewiązana szarfą, z wielkim wycięciem podkreślającym
jej wspaniały dekolt. Wysoka, *obfita*, z małą przerwą w przednich
zębach – tak opisuje ją w swoim dzienniku angielski reżyser, którego wyraźnie nie pociągały kobiece krągłości. Drugą postacią,
która bardziej mu się podobała, była elegancka Audrey, także
wysoka, ale płaska i drobna niczym dorastający chłopiec. Dwie
młode kobiety reprezentowały dwa przeciwstawne typy kobiecości, a przecież obydwie przyciągały uwagę gości.

Jeśli chodzi o dwóch producentów, Powell opisał ich jako oto-
czonych aurą budzącej strach i nieprzyjemnie aroganckiej władzy.

Można wywnioskować, że również na Pontim i De Laurentiisie
angielski reżyser, który nigdy dla nich nie pracował, nie zrobił dobrego wrażenia. Należy jednak podkreślić, jak bardzo angielski gość
obdarzony był czarnym humorem, ponieważ w swoich notatkach
zapisał, że podczas kolacji na bazie pieczonej dziczyzny, co mocno
kontrastowało z miłością do zwierząt deklarowaną przez Audrey, jedynym zabawnym momentem była chwila, kiedy „dorodna dziewczyna w czerwieni" wyjawiła, że ona i Ponti mieszkają w „grobie".

Pomny Szekspirowskiej tragedii o Romeo i Julii, pisze Powell,
zachęcił ją, by kontynuowała, i w ten sposób odkrył, co Sofia
miała na myśli: dom, w którym mieszkała z Pontim, wydawał
się jej narodowym pomnikiem, a do tego, żeby urządzić w jego
wnętrzu jadalnię, Ponti „zmuszony" był kupić grobowiec. Może
to wyglądać na złośliwy zapisek reżysera, ale odpowiadało prawdzie. Również włoskie gazety przywołały trudności, jakie napot-
kał Carlo, aby ominąć zakaz dokonania tego rodzaju nadużycia.

Apartament, o którym wspominała Sofia, liczył dwanaście pokoi i położony był w historycznym Palazzo Colonna, gdzie Carlo Ponti umieścił swoje biuro i zgromadził część kolekcji dzieł sztuki, wśród których znalazły się obrazy malarzy włoskich – Giorgia Morandiego i Renza Vespignaniego.

Natomiast tym, co Powellowi umknęło, było nie tylko wyznanie Sofii, że mieszka z Pontim, ale także dziwne zrządzenie losu, który owego wieczoru zetknął ze sobą dwie aktorki mające pozostać w historii kina światowego: Audrey, już laureatkę Oscara, i Sofię, która kilka lat później, w 1962 roku, również miała otrzymać tę nagrodę jako najlepsza aktorka nieanglojęzyczna.

Przeznaczenie kazało w rzeczywistości spotkać się ze sobą dwóm młodym kobietom dotkniętym takim samym poczuciem utraty, takim samym poczuciem porzucenia przez własnego ojca. Istnieje prawdopodobieństwo, że z tych ich dziecięcych i młodzieńczych urazów zrodziła się głębia ich ról, prawda, której potrafiły nadać dramatyczny wyraz.

Tylko ktoś, kto naprawdę w życiu cierpiał, mógł w pełni, bez potrzeby uczęszczania do szkół gry aktorskiej zrozumieć postaci, które miały uczynić je sławnymi. Błyskotliwe odtwórczynie ról w finezyjnych komediach najwspanialej wypadały, kiedy miały przenieść na ekran duszę kobiet cierpiących, jak na przykład Sofia w *Matce i córce* i potem jako Filumena Marturano w *Małżeństwie po włosku*, czy jak Audrey w niezapomnianej roli ociemniałej w *Doczekać zmroku* w reżyserii Terrence'a Younga.

Była wszak jeszcze jedna rzecz, która miała połączyć w przyszłości Sophię Loren i Audrey Hepburn.

Bardziej niż o rzecz chodziło o osobę.

Był nią fascynujący Cary Grant, z którym Audrey miała nakręcić jakiś czas później *Szaradę*, thriller elegancki równie jak on sam.

TRZECH OJCÓW PLUS JEDEN:
VITTORIO DE SICA

W życiu Sophii Loren liczyło się trzech ojców: ojciec biologiczny – Riccardo Scicolone; ukochany ojciec – dziadek Domenico; kochanek-ojciec Carlo Ponti. Nie wszyscy zaliczają do ich grona także reżysera, który był jak ojciec dla jej aktorskiej kariery – Vittoria De Sicę.

Autor i reżyser takich arcydzieł jak *Dzieci ulicy*, *Złodzieje rowerów* i *Cud w Mediolanie*, które wraz z *Umberto D.* uwieczniły go jako jednego z ojców neorealizmu, pozostawił ślad swojego geniuszu również w innych dziedzinach, jako aktor i reżyser komedii po włosku.

Wraz z filmem zrealizowanym na podstawie serii opowiadań Giuseppego Marotty *Złoto Neapolu*, według scenariusza Cesare Zavattiniego, narodził się w 1954 roku niemal ojcowski związek, który połączył go na przestrzeni lat z młodą Sofią. W sztuce i w życiu łączyła ich neapolitańska dusza, jeśli tak można powiedzieć, mimo że Sofia pochodziła z Pozzuoli, a Vittorio urodził się

w 1901 roku w miejscowości Sora w prowincji Frosinone. Jednak
w wieku czternastu lat przeniósł się do Neapolu.

Ponti miał wyprodukować film *Złoto Neapolu*. Kiedy mi przed-
stawił ten pomysł, zapytałam: „Czym jest to złoto Neapolu?".
A on odpowiedział, że wzięli to z opowiadań pisarza Marotty.
Potem przedstawił mi reżysera Vittoria De Sicę, który spojrzał na
mnie i powiedział, że nie są potrzebne zdjęcia próbne, bo jestem
dokładnie typem kobiety opisanej przez Marottę w opowiada-
niu, które miał nakręcić, a kobieta miała na imię tak jak ja – Sofia.
Wtedy zapytałam: „Kiedy zaczynamy?", a on odrzekł: „Jutro".
„Och, *mamma mia*, jutro? Ależ to niemożliwe!"
De Sica popatrzył na mnie i powiedział tonem nieznoszącym
sprzeciwu: „Jutro wyjeżdżasz do Neapolu i powierzasz się mnie,
oddajesz się w moje ręce, a ja uczynię wszystko, żebyś dobrze
zagrała rolę. Zobaczysz, będziesz idealna dla tej postaci, bo jesteś dokładnie taka, jak ją sobie wyobraził Marotta".
Nazajutrz wyjechałam do Neapolu.
Nakręciłam film. I było to moje szczęście.

Kiedy Vittorio przychodził na plan, był szczęśliwy, jeśli od razu
spotykał Sofię. Jej słoneczny uśmiech dodawał energii.
– *Donna Sofì*, dajesz mi radość. Dzień zaczyna się lepiej, kiedy
to ty mówisz mi dzień dobry!
Od samego początku zdjęć Vittorio zdał sobie sprawę, że Loren zdołała dokonać małego cudu.
– Była rewelacyjna – przyznał. – To kobieta, która została
stworzona w inny sposób, zachowuje się w inny sposób, żyje
w inny sposób, niż którakolwiek ze znanych mi kobiet. My ne-
apolitańczycy najpierw mówimy, a potem myślimy, najpierw

działamy, potem się zastanawiamy. Sofia jest impulsywna, ekstrawertyczna, naturalna i... cudownie *prawdziwa*!

Od pierwszego dnia De Sica stał się moją szkołą, moim mistrzem, moim mentorem, moim wszystkim.

De Sica od razu zrozumiał, że młoda aktorka ma wyjątkowy instynkt, który pozwalał jej pokonać brak doświadczenia i strach przed planem zdjęciowym.

Z cierpliwością i czułą przyjaźnią Vittorio zachęcał Sofię, żeby zawierzyła swojemu talentowi. Tak rozpoczęła się nadzwyczajna współpraca artystyczna, która zaowocowała kilkoma filmami należącymi do historii kina. Wystarczy wspomnieć dwa arcydzieła, które powstały kilka lat później – w 1960 roku *Matka i córka*, a w 1964 *Małżeństwo po włosku*.

Siła interpretacji Sofii wyzwalała się niczym tytan z okowów, prowadzona i pobudzana przez wrażliwą reżyserię Vittoria De Siki. Ona sama przyznaje, że na słowo „akcja" wypowiadane przez reżyserów, jej zahamowania znikają, całkowicie zapomina o rzeczywistym świecie.

Jeśli nie czuję jakiejś historii, nie mogę zagrać roli, bo nie jestem aktorką, gram instynktownie. Przychodzę na plan i jestem już przygotowana, bo mam w sobie mój własny świat, który jest czasem poruszający.

Zdarzyło mi się tak na przykład, kiedy musiałam zmierzyć się z jakąś szczególnie dramatyczną sceną w *Matce i córce*, a także w *Małżeństwie po włosku*.

Bo przecież, jeśli nie znajdziesz takich pięknych historii, to jak możesz przekazać widzom emocje? Ja tych emocji już nigdy nie zapomnę.

Kiedy w *Matce i córce* krzyczę z okna: „Michele nie żyje!", albo kiedy kręciłam scenę z ciężarówką, w której wrzeszczę: „Złodzieje, skurwysyny!", poprzedniej nocy nie zmrużyłam oka. Jakbym przeżywała to naprawdę. Nie dało się spać, ja naprawdę byłam tą cierpiącą kobietą...

Kiedy kręciliśmy tamte sceny, De Sica tylko raz robił klaps. Mówiłam mu: „Ależ Vittorio, zróbmy dubel".

A on na to: „Nie: tylko gdyby przypadkiem, niech Bóg nas uchowa, była jakaś skaza na taśmie, wtedy byśmy byli zmuszeni powtórzyć. Ale jestem pewien, że nigdy nie zdołałbym jej nakręcić tak samo, jak wyszła teraz".

W istocie sam De Sica doznał emocji, jakich się nie spodziewał. Wzruszył się on, właśnie on, aż do łez, i dlatego był pewien, że te sceny były doskonałe tak, jak zostały nakręcone.

Była to prawda, choć trudno w to uwierzyć, wszystkie te sceny, tak trudne i dramatyczne, nakręciliśmy w jedno popołudnie.

W 1960 roku Enrico Lucherini dostał zadanie wypromowania filmu *Matka i córka*. Kiedy Sofia i Ponti przylecieli na lotnisko Ciampino, każde z nich wysiadło z samolotu osobnymi drzwiami, żeby nie można ich było razem sfotografować, tak wiele było jeszcze bowiem trudności prawnych, z jakimi musieli się zmierzyć z powodu oskarżenia o bigamię. We wspomnieniach Lucheriniego ona miała na głowie wspaniały kapelusz, godny gwiazdy, jaką się stała ku radości tłumu fotoreporterów i dziennikarzy oczekujących na nią na lotnisku.

W owym czasie Sofia otoczona była wielkim zainteresowaniem, ponieważ w trakcie zdjęć do *Milionerki* kręconych w Londynie, skradziono jej nadzwyczajnej wartości biżuterię, którą zademonstrowała podczas spotkania z królową Elżbietą.

Wszyscy myśleli, że był to wymysł angielskiego biura prasowego Sofii, tymczasem ona naprawdę padła ofiarą złodzieja równie zręcznego w rzeczywistości, jak niezapomniany Cary Grant w fikcji filmowej *Złodzieja w hotelu.*

Ponti i Loren musieli wymazać z gazet i z umysłów Włochów swój wizerunek cudzołożników, bigamistów i konkubentów, który nie tylko rzucał na nich negatywne światło, ale mógł też mieć zgubny wpływ na kasowość filmu.

Lucherini, młody, co nie znaczy, że niefachowy, wiedząc o autentycznym, przemożnym pragnieniu Sofii posiadania potomstwa, opowiada, że kiedy w pobliżu planu zdjęciowego *Matki i córki* dostrzegał jakąś zaciekawioną matkę w towarzystwie dzieci, kazał fotografować je z Sofią, a potem – żeby wymazać jej obraz kobiety „rozbijającej rodziny" – wysyłał zdjęcia do prasy, podkreślając macierzyński rys Sofii, która głaskała dzieci z czułym uśmiechem.

Po jakimś czasie, z uwagi na to, że zdjęcia były bardzo angażujące i trudne, Sofia zasłabła i trzeba było zrobić nagłą przerwę. Lucheriniemu wystarczyło, że Sofia zemdlała, żeby rozpuścić pogłoskę o jej ciąży. „Za dwa, trzy dni będzie można wiadomość zdementować. Tymczasem niech o tym mówią", komentował cyniczny, ale dalekowzroczny i przebiegły Enrico.

Już po skończeniu filmu Lucherini dał najlepszy popis swoich możliwości w Cannes, gdzie Sophia Loren miała zaprezentować *Matkę i córkę*, a jej partnerem w roli intelektualisty Michele był beniaminek francuskiego kina, fascynujący Jean-Paul Belmondo.

Lucherini pojechał kilka dni wcześniej, żeby wybadać teren bitwy, a przede wszystkim najgroźniejszą przeciwniczkę Sofii – Ginę Lollobrigidę.

Podczas festiwalu filmowego Gina nie miała prezentować *Cesarskiej Wenus*, a tylko galerię fotosów z filmu i okazałe suknie w stylu Cesarstwa. Miała zilustrować postać Pauliny Bonaparte, rozsławionej w swej cudownej nagości przez rzeźbiarza Canovę, i w cesarskiej karecie, pełnej złoceń i bardzo widowiskowej, miała przejechać po bulwarze Croisette, doprowadzając do szaleństwa rzesze fotoreporterów akredytowanych na festiwalu. W ten sposób Gina miała przyciągnąć uwagę prasy nie tylko francuskiej, która ją wielbiła, ale również międzynarodowej.

Lucherini pomyślał sobie, że w obliczu wspaniałych sukien podkreślających słynne piersi Lollo, a także złoconego pojazdu, niewiele może zdziałać: bitwa wyglądała na przegraną.

Wymyślił więc wspaniały, zaskakujący chwyt.

Zaopatrzył się w Rzymie w „nałokietnik", to znaczy w metalowy przedmiot, który przywiązuje się skórzanymi rzemykami do łokcia. Ukryta pod marynarką smokingu nietypowa broń była gotowa do akcji. Kiedy Sofia pojawi się w wejściu do sali, gdzie ma się odbyć projekcja filmu, tłum paparazzich oblegnie ją do tego stopnia, że wybiją szybę, czym w ogólnym zamieszaniu zajmie się Lucherini za pomocą nałokietnika.

Niestety paparazzi nie stłoczyli się w przewidzianym momencie, ale Lucherini, mimo desperacji, nie stracił jasności umysłu.

„Nawet jeśli mnie aresztują, i tak rozbiję tę szybę", pomyślał.

Mistrzowskim uderzeniem Lucherini trafił łokciem w szybę, która rozbiła się z hukiem na tysiące kawałków, wywołując efekt niczym autentyczna bomba.

Państwo Ponti ze wstydu nie odezwali się do niego słowem i zwracając wzrok w innym kierunku, jakby go nie znali, zajęli swoje miejsca na sali projekcyjnej.

Nazajutrz gazety przyznały rację Enricowi Lucheriniemu. Wielką czcionką wszystkie zamieściły wiadomość, że na festiwalu w Cannes tłum oszalał z podziwu dla Sophii Loren i wraz z rzeszą paparazzich stłoczył się w tak gwałtownym napadzie ferworu wokół gwiazdy, że rozbił przeszklone wejście prowadzące do sali.

Zresztą właśnie podczas tamtej edycji festiwalu Sophia Loren nagrodzona została jako najlepsza aktorka.

Tamtego roku przyznano mi dwadzieścia siedem, powtarzam dwadzieścia siedem nagród za moją rolę w *Matce i córce*.

W rzeczywistości Sophia Loren była już sławną gwiazdą podziwianą na całym świecie dzięki filmom o wielkim oddziaływaniu, nakręconym jeszcze przed *Matką i córką*.

W 1955 roku Carlo Ponti dowiedział się o projekcie *Duma i namiętność*, historii rozgrywającej się na tle wojen napoleońskich, nad którym niezależny producent amerykański Stanley Kramer pracował od pewnego czasu. Temat zainspirowany był powieścią Cecila Scotta Forestera *The Gun*, natomiast Kramer zamierzał reżyserować film w Hiszpanii, gdzie koszty miały być niższe niż w Ameryce.

Obsada przewidywała obecność Cary'ego Granta, Marlona Brando i Avy Gardner. W ostatniej chwili Marlon Brando się wycofał i zastąpił go Frank Sinatra, wciąż szaleńczo zakochany w byłej żonie – Avie Gardner. Natomiast ona nie chciała o nim słyszeć, zmęczona jego obsesyjną zazdrością, związana ze słynnym wówczas, czarującym torreadorem Dominguinem, który poślubi później Lucię Bosé.

Właśnie w owym okresie, kiedy straciła głowę dla korridy, a przede wszystkim dla torreadorów, Ava została pokiereszowana przez uderzenie rogów byka, którego – według kronikarskich przekazów – nieostrożnie sprowokowała na arenie. Niezależnie od tego, czy uderzenie rogów było prawdziwe czy nie, prawdziwe były rogi Sinatry, grożące masakrą.

W takich warunkach trudno sobie było wyobrazić zdjęcia z wybuchową obecnością dwojga byłych małżonków. Jeszcze zanim rozpoczęto film, było już wiadomo, że nigdy nie zostanie ukończony z powodu dzikich kłótni pary. Trzeba było zatem na gwałt szukać innej aktorki, która zastąpiłaby Avę Gardner, i Ponti zaproponował Kramerowi Sophię Loren.

Przeciwstawił się temu Cary Grant, który nie chciał u swego boku na wpół nieznanej Włoszki.

– Kim jest ta *Lorbrigida*? – zapytał Kramera, przekręcając nazwisko.

Carlo Ponti, silny argumentem, że Sofia kosztuje trochę mniej niż Ava Gardner, zdołał narzucić ją produkcji United Artists.

Kiedy Kramer zdał sobie sprawę, że Sofia nie jest w stanie grać na planie na żywo po angielsku, poprosił Pontiego, by temu zaradził, każąc jej jak najwięcej się uczyć.

Sofia była szczególnie obdarzona słuchem muzycznym do odtwarzania wymowy obcych języków, a posiadała też wolę i żelazną dyscyplinę. Oddana pod opiekę irlandzkiej nauczycielki, uczyła się jak obłąkana i była gotowa, by sprostać oczekiwaniom.

Albo prawie. Ponieważ kiedy Sinatra odkrył, że młoda Włoszka nie zna dobrze języka, zabawiał się uczeniem jej przekleństw i mocnych aluzji seksualnych, podając je za uprzejme wyrażenia.

Sofia na początku dała się nabrać. Potem, po serii okropnych wpadek, zrozumiała żart, którego padła ofiarą, i naskoczyła na Franka Sinatrę z niemającym sobie równych neapolitańskim impetem: – Ty wstrętna świnio – było najuprzejmiejszą rzeczą, jaką rzuciła mu w twarz przy całej ekipie.

Scena ta przekonała o jej temperamencie dramatycznym nawet największych sceptyków, w tym Cary'ego Granta, który od pierwszej chwili, kiedy spotkał ją osobiście, miał wszelkie sposoby, by docenić jej... walory artystyczne.

Szybko było jasne, że Grant stracił głowę dla Sofii, a to wywołało jedną z najbardziej soczystych plotek, jakie krążyły po mekce kina, zmuszając złośliwe języki Hollywood-Babilonii do postawienia sobie pytania: jak gej może zakochać się w kobiecie?

SKRYWANE PRAWDY

Legenda o rzekomym homoseksualizmie Cary'ego Granta miała swoje źródło w jego długim współżyciu z Randolphem Scottem, postawnym młodym aktorem, mającym ponad metr dziewięćdziesiąt wzrostu, który przez dwanaście lat dzielił z nim dom w Malibu, plażowej części Los Angeles.

Jeszcze dziś kultowe dla gejów są ich upozowane, półnagie zdjęcia, kiedy stoją uśmiechnięci przy brzegu basenu domu ochrzczonego mianem Bachelor Hall – willa kawalerów, albo przed rozegraniem meczu tenisa: byli tak piękni, że zachwycali zarówno mężczyzn, jak i kobiety. Boze Hadleigh, autor książek o słynnych ukrywających się i jawnych homoseksualistach, zatrzymał się nad przyjaźnią między Grantem i Scottem, przywołując pierwsze spotkanie między dwoma aktorami na planie filmu o tytule, który mógł brzmieć porozumiewawczo – *Upalna sobota*.

Zdjęcia zaświadczające o ich zażyłości stały się już ikoną: w kostiumach kąpielowych, podkreślających wyrzeźbione ciała, czy w białych strojach tenisowych, których krótkie spodenki uwydatniały muskularne uda, obaj mężczyźni wyglądali jak greccy adonisowie godni naśladowania i podziwu.

Były także intymne obrazy, jak zdjęcie, które pokazywało ich podczas kolacji we dwóch, gdzie wymieniają spojrzenia godne pary zakochanych, a także bardziej seksowne, które obiegły zarówno prasę poważną, jak i tę brukową.

Zazwyczaj podpisy towarzyszące zdjęciom były ostrożne, ale zawsze czaił się wróg: jeśli nie były to śliskie plotki, mogły to być gazety specjalizujące się w pikantnych historiach, w tym jedna szczególnie agresywna, założona na początku lat pięćdziesiątych.

Nazywała się „Confidential" – tytuł w którym pobrzmiewa echo powieści Jamesa Ellroya, *L.A. Confidential* – i gwałciła prywatność aktorów, obrzucając ich życie błotem, niezależnie od tego, czy chodziło o prawdę, czy o fałsz. Gazeta publikowała artykuły pełne szczegółów, opisujące nieprzyzwoite historie dotyczące rzekomych niemoralnych obyczajów seksualnych słynnych postaci.

Jednym z obiektów plotek była ulubienica hollywoodzkiego kina, rudowłosa Maureen O'Hara, idealna, romantyczna partnerka Johna Wayne'a w *Spokojnym człowieku*, której reputacja wystawiona została na drwiny opowieścią o stosunku seksualnym odbytym publicznie w Los Angeles w Grauman's Chinese Theatre, a następnie całkowicie zniszczona pretekstowym oskarżeniem o stosunki zbiorowe, a nawet kazirodcze.

Jeśli Marlenę Dietrich i Gretę Garbo uznawano za lesbijki, ponieważ lubiły ubierać się w męskim stylu, co przydawało ich urokowi tajemniczości, szeptano też o homoseksualnej miłości między blondynką Laną Turner i brunetką Avą Gardner, które – jak mówiono – kiedy nużyło ich romansowanie ze sobą, dzieliły łoże ze szczęściarzem Frankiem Sinatrą.

W istocie Hollywood oferował bogaty materiał dla karmiących się skandalami czasopism, niczym odrodzona, rozpustna Babilonia.

Jeśli chodzi o Roberta Mitchuma, on sam wywołał skandale, upijając się albo pokazując nago na balu maskowym między dwiema niby kromkami chleba, co miało być przebraniem za hot doga polanego keczupem.

Krążyła też historia, która miała ukrywać jeszcze bardziej pikantną prawdę: przebraną za hot doga w ofercie specjalnej miała być najbardziej intymna część ciała gwiazdora Mitchuma.

To właśnie w tamtym okresie na pierwszym planie pojawiły się takie dziennikarki jak Sheila Graham, Louella Parsons czy Hedda Hopper, tak potężne, że przyjmowano je w najbardziej ekskluzywnych domach i na zamkniętych przyjęciach, poważane i budzące we wszystkich strach, by nie stać się obiektem ich plotek.

Louella, niedoszła aktorka, została felietonistką gazety Williama Randolpha Hearsta, aroganckiego i potężnego wydawcy, do którego nawiązuje *Obywatel Kane* Orsona Wellesa. Niewielu było w stanie wyjaśnić jej karierę, ale – żeby pozostać w sferze bezwzględnego i perwersyjnego Hollywood-Babilonii – mówi się, że była niewygodnym i groźnym świadkiem zabójstwa niejakiego Thomasa Ince'a, winnego uwodzenia aktoreczki Marion Davis, kochanki Hearsta, który wściekły i zazdrosny zamordował go bez specjalnych skrupułów na swoim jachcie...

Najsłynniejszą z grupki żmij była dziennikarka Elsa Maxwell.

Była to kobieta niezgrabna, niska, gruba i zdecydowanie brzydka. Przezwyciężała kompleksy niższości, dmuchając w trąby swojej złośliwej kroniki i stając się jedną z najpotężniejszych kobiet Ameryki.

W swoich pamiętnikach Elsa napisała, że tylko jedna część jej ciała nadawała się do wykorzystania: mózg. A reszta? Należała do „najbrzydszej kobiety epoki nowożytnej", jak mawiał o niej George Bernard Shaw.

Jak sama przyznawała, korzystała z mózgu, żeby zemścić się na gatunku ludzkim i stawać się coraz potężniejszą i budzącą strach.

Jest to metoda, która wydaje się działać, zarówno wczoraj, jak i dziś.

Artykuły Maxwell mogły wpływać na karierę najbardziej znanych osób, ułatwiając ją albo niszcząc. Nie miało znaczenia, czy jej teksty opierały się na prawdzie, czy były tylko prawdopodobne: dezinformacja, trochę prawdy i dużo kłamstw, stanowiła dopuszczalną broń dla osiągnięcia własnych albo cudzych celów.

Maxwell wychwalała, a może wręcz kochała tylko Marię Callas i stała się jej wiernym cieniem między Ameryką a Europą. W Nowym Jorku, w Wenecji, w Rzymie czy w Paryżu Elsa była zawsze obecna u boku Marii, stała się też świadkiem namiętności, jaka wybuchła między śpiewaczką a greckim armatorem Aristotelisem Onasisem.

Tych dwoje, strzeżonych i pilnowanych przez Elsę, zostało kochankami w czasie, kiedy byli jeszcze w innych związkach, on żonaty z Tiną, która wraz z siostrą Eugenią była dziedziczką dynastii armatorów Liwanosów, ona zamężna z Meneghinim. Eugenia była żoną Stawrosa Niarchosa, morskiego oligarchy, rywala Onasisa.

Trudno było Stawrosowi uwolnić się od plotki, która wskazywała go jako inspiratora domniemanego samobójstwa żony, jeśli nie wręcz jej zabójcę w wyniku zadanych kobiecie ciosów. Niarchos wytoczył sprawę przeciwko tym, którzy insynuowali te straszliwe podejrzenia, i wygrał ją.

Jeśli chodzi o Tinę, czarującą blondynkę, matkę nieszczęśliwej Christiny, a potem babkę Athiny Onasis, dziś jednej

(*u góry*) Sofia w wieku trzech lat z ojcem Riccardem Scicolonem; © Olycom
(*u dołu po lewej*) Romilda Villani z córkami Sofią (po lewej) i Marią; zdjęcie rodzinne
z 1938 roku, wykonane na krótko przed wybuchem drugiej wojny światowej
(*u dołu po prawej*) Sofia w wieku ośmiu lat; © Olycom

(*u góry po lewej*) Portret matki Romildy
(*u góry po prawej*) Romilda ubrana na zdjęcia próbne, 1932
(*u dołu po lewej*) Romilda z córką Marią
(*u dołu po prawej*) Maria Scicolone (po prawej) w szkole tańca klasycznego; © Olycom

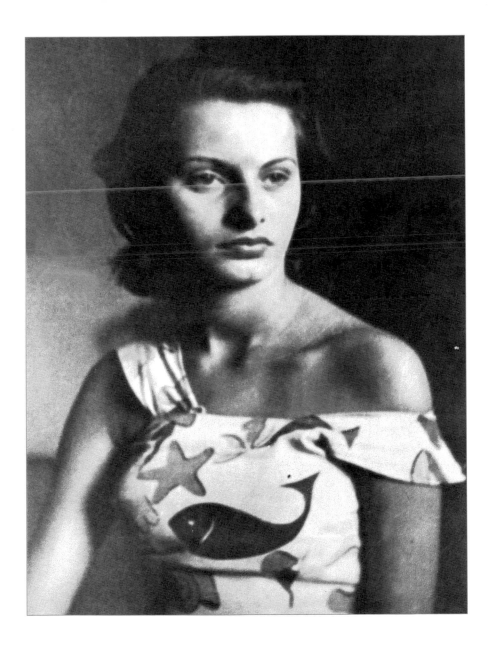

Sofia w wieku piętnastu lat; © Olycom

(*u góry*) Ślub Marii Scicolone z Romanem Mussolinim, najmłodszym synem Benita Mussoliniego, 1962. W głębi po prawej Sofia spogląda z uznaniem, podczas gdy matka wydaje się znudzona
(*u dołu*) Sofia z mamą Romildą i siostrą Marią, dzień po otrzymaniu Oscara za *Matkę i córkę*, 1962; © Olycom

Sofia z mamą Romildą, dzień po przyznaniu aktorce Oscara za *Matkę i córkę*, 1962; © Olycom

(*u góry*) Sophia Loren z Carlem Pontim na wernisażu prac Novelli Parigini (po lewej), 1956;
© Olycom
(*u dołu*) Z Carlem Pontim, 1959; © Olycom

Sofia z Carlem Pontim i siostrą Marią, 1961; © Olycom

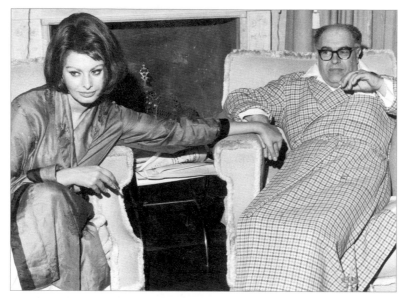

(*u góry*) Sofia z Carlem Pontim w noc, kiedy ogłoszono, że została laureatką Oscara za *Matkę i córkę*. To, że była ubrana w szlafrok, wywołało ogromną jak na tamte czasy sensację, ponieważ ich pierwszy ślub odbył się *per procura* w Meksyku w 1957 roku. We Włoszech rozwód był wciąż nielegalny i małżonków oskarżano o konkubinat (Sofię) i bigamię (Carla); © Olycom

(*u dołu*) Z Carlem Pontim na premierze filmu *Doktor Żywago*, Nowy Jork, 1965; © Olycom

(*u góry*) Sofia w objęciach męża Carla Pontiego, 1979; © Olycom
(*u dołu*) Sofia z mężem na sześćdziesiątych urodzinach aktorki. Po prawej siostrzenica Sofii
Alessandra Mussolini; © Olycom

(*u góry*) Konferencja prasowa zorganizowana, aby pokazać światu jednodniowego Carla Pontiego jr. Obok Sofii stoi dumny Ponti ojciec, 1968; © Olycom
(*u dołu*) Sofia z drugim synem – Edoardem, 1989; © Olycom

Zdjęcie rodzinne: od lewej Edoardo Ponti z ojcem Carlem, bratem Carlem Pontim jr. i matką Sofią w Los Angeles, 1999; © Olycom

(*u góry po lewej*) Jedno z pierwszych zdjęć rozbieranych Sofii; © Olycom
(*u dołu po lewej*) Sofia, rozebrana od pasa w górę, w roli niewolnicy z haremu w filmie *Dwie noce z Kleopatrą*, reż. Mario Mattòli, 1953; © Olycom
(*po prawej*) W filmie *Lalka gangstera*, reż. Giorgio Capitani, 1975; © Olycom

Sophia Loren w scenie z filmu *Wczoraj, dziś, jutro*, reż. Vittorio De Sica, 1963; © Olycom

(*u góry*) Bohaterowie filmu *Legenda zaginionego miasta*, reż. Henry Hathaway, 1957. Od lewej do prawej: John Wayne, Sophia Loren i Rossano Brazzi; © Olycom
(*u dołu*) Z Jeanem-Paulem Belmondo w filmie *Matka i córka*, reż. Vittorio De Sica, 1961;
© Olycom

(*u góry*) Z Paulem Newmanem w filmie *Lady L.*, reż. Peter Ustinov, 1965; © Olycom
(*u dołu*) Z Richardem Burtonem w filmie *Podróż*, reż. Vittorio De Sica, 1974; © Olycom

(*u góry*) Sophia Loren z Peterem Sellersem. Zanim przystąpili do zdjęć do filmu *Milionerka*, Peter poprosił Sofię o pocałunek „na szczęście", ale już miesiąc później jej diamentowy naszyjnik wraz z kolczykami do kompletu zostały skradzione
(*u dołu*) Okładka drugiej płyty EP *Peter and Sophia*, nagranej przez Sophię Loren i Petera Sellersa w wytwórni Parlophone w związku z filmem *Milionerka*, 1961; © Olycom

(*u góry*) Sophia Loren i Cary Grant w scenie z filmu *Dom na łodzi*, reż. Melville Shavelson, 1958; © Olycom
(*u dołu*) Cary Grant z Marią Scicolone

(*u góry*) Sophia Loren i Vittorio De Sica, 1964; © Olycom
(*u dołu*) Na planie filmu *Francesca i Nunziata* z reżyserką Liną Wertmüller, 2001; © Olycom

(*u góry*) Sophia Loren i Marcello Mastroianni w filmie *Małżeństwo po włosku*, reż. Vittorio De Sica, 1964; © Olycom
(*u dołu*) Z Marcellem Mastroiannim w filmie *Prêt-à-Porter*, reż. Robert Altman, 1994; © Olycom

(*u góry po lewej*) Sophia Loren z George'em Clooneyem jako goście na pokazie kolekcji
Donna Primavera-Estate Giorgia Armaniego, Mediolan, 2003
(*u góry po prawej*) Z Giorgiem Armanim w jego atelier w Mediolanie
(*u dołu*) Z Giorgiem Armanim na końcu pokazowej parady

(*u góry*) Sophia Loren w ubraniu Armani Privé na czerwonym dywanie, Międzynarodowy
Festiwal Filmowy w Rzymie, Auditorium Parco della Musica, 2007
(*u dołu*) Sophia Loren pozuje w domu Giorgia Armaniego; © Sante D'Orazio Studio

(*u góry*) Sophia Loren wręcza statuetkę Oscara Gregory'emu Peckowi – laureatowi w kategorii Najlepszy Aktor za rolę w filmie *Zabić drozda*, Hollywood, 10 kwietnia 1963; © Olycom
(*u dołu po lewej*) Sophia Loren otrzymuje nagrodę David di Donatello, Taormina, 1965; © Olycom
(*u dołu po prawej*) Sophia Loren z producentem filmowym Josephem E. Levine'em, pomysłodawcą i dyrektorem kampanii promocyjnej, która pomogła aktorce zdobyć Oscara za rolę w *Matce i córce*. Trema nie pozwoliła Sofii wziąć udziału w ceremonii rozdania Oscarów i Levine przyleciał do Rzymu, aby wręczyć laureatce złotą statuetkę, 1965

(*u góry po lewej*) Sophia Loren z Oscarem za całokształt twórczości, 1991; © Olycom
(*u góry po prawej*) Sophia Loren obejmuje Kate Winslet, wręczając jej Oscara w kategorii
Najlepsza Aktorka za rolę w filmie *Lektor*, 2009
(*u dołu*) Sophia Loren wręcza Oscara Robertowi Benigniemu, laureatowi w roku 1999
w kategorii Najlepszy Aktor oraz za Najlepszy Film Nieanglojęzyczny, *Życie jest piękne*; © Olycom

(*u góry*) Sophia Loren w *Nine – Dziewięć*, filmie-musicalu o życiu Federica Felliniego, wyreżyserowanym przez Roba Marshalla, a zainspirowanym *Osiem i pół*, 2009
(*pośrodku*) Sophia Loren z Enrikiem Lucherinim i kilkoma aktorami z planu filmowego *La Mia casa è piena di specchi*, 2010. Od lewej do prawej: Giovanni Carta, Margareth Madè i Xhilda Lapardhaja
(*u dołu*) Z Massimem Leonardellim i siostrą Marią Scicolone, 2009

z najbogatszych kobiet na świecie, po rozwodzie z Onasisem została markizą Blandford, a w końcu poślubiła Stawrosa Niarchosa, wdowca po jej zmarłej siostrze. Jej życie miało równie tragiczny epilog jak życie jej córki Christiny. Jako stosunkowo jeszcze młoda kobieta umarła w Paryżu w wyniku przedawkowania. Wielu myślało, że powodem jej tragicznego nieszczęścia była zdrada Arystotelesa, który zostawił ją dla Marii Callas.

Onasis zdradził też Marię, by podążać za swoimi marzeniami o chwale i wejściu na rynki amerykańskie, żeniąc się na Skorpios z Jacqueline Bouvier, legendarną wdową po prezydencie Stanów Zjednoczonych Johnie Kennedym, która mogła zapewnić mu odpowiednie dojścia.

Wracając do Sofii, Elsa Maxwell miała sposobność poznać ją na festiwalu w Berlinie i podczas wystawnego bankietu zamykającego imprezę zdołała usadowić się przy sąsiednim stole.

Nie trzeba mówić, że czas poświęciła nie na objadanie się, lecz na uważną obserwację aktorki. Sofia wyglądała zresztą zjawiskowo w wystawnej sukni z białej satyny i w klejnotach godnych boskiej Callas.

Maxwell, która się na tym znała, w 1958 roku w Wenecji, przed mikrofonami audycji *Głosy ze świata*, zdołała mówić o niej dobrze w tonie słodko-kwaśnym, przyznając, że Sofia, podobnie jak Maria Callas, ma predyspozycje do bycia gwiazdą, ponieważ mimo obaw przed osądem publiczności miała z nią ścisły związek i dopuszczała do siebie, wzmacniając tym swoją sławę.

Jeśli chodzi o Louellę Parsons, to jej przypadnie zadanie częstego towarzyszenia Sophii Loren i poznawania w ten sposób skrywanych tajemnic.

Oczywiście nie wszystkich, ale jednej z najbardziej sensacyjnych.

Narkotyki, alkohol i wolna miłość podsycały po kryjomu plotki otaczające star system w okresie, kiedy purytański i zakłamany Kodeks Haysa, który w maniakalny sposób cenzurował amerykańskie filmy, mógł okryć hańbą i wyrzucić z kalifornijskiego Eldorado sławy i bogactwa najbardziej kochane przez publiczność gwiazdy.

Aktorzy geje zmuszeni byli ukrywać swoje seksualne skłonności na polecenie wielkich wytwórni filmowych, w osobach Louisa B. Mayera czy Darryla Zanucka, którzy nadzorowali swoich gwiazdorów z okrucieństwem władczych ciemiężycieli.

W celu ukrycia plotek dotyczących homoseksualizmu Jamesa Deana, przedwcześnie zmarłego wskutek wypadku, strategia reklamowa hollywoodzkich Studios wymyśliła rzekomy flirt aktora z Włoszką Pier Angeli, jak ochrzczono w Hollywood Annę Marię Pierangeli.

Również młodziutka wówczas i zachwycająca Elizabeth Taylor została bliską przyjaciółką dwóch słynnych aktorów, osłaniając w ten sposób ich prawdziwą seksualną tożsamość. Jednym z nich był fascynujący Montgomery Clift, obdarzony magnetycznym spojrzeniem bohater *Miejsca pod słońcem*, który pokiereszował sobie twarz w strasznym wypadku. Wyszedł z niego żywy, ale załamany psychicznie. Drugim był przepiękny Rock Hudson, wysoki i *macho*, który kochał Liz w *Olbrzymie*. Aktor, symbol seksu, uwielbiany przez nastolatki, został zmuszony przez producentów do poślubienia Phyllis Gates, anonimowej sekretarki z produkcji, sowicie opłaconej za zawarcie fikcyjnego małżeństwa. On sam po wielu latach, zanim zmarł na AIDS, wykonał wzruszający i przejmujący *coming out*.

O tym, jak długa była fala hollywoodzkiej powściągliwości wobec tajemnic legendarnego gwiazdora, kochanego przez miliony fanów, świadczy niedawna historia śmierci jego kochanka – Marca Christiana MacGinnisa.

Kiedy w 1982 roku Marc poznał Rocka Hudsona, pracował jako kelner i miał dwadzieścia dziewięć lat, a Hudson prawie dwa razy tyle, bo pięćdziesiąt siedem. Po pięciu miesiącach zostali sekretnymi kochankami, a dopiero rok później, w 1983 roku, Rock postanowił zamieszkać z Markiem w swojej wspaniałej willi w Beverly Hills.

Niestety – kiedy w 1984 roku Rock Hudson dowiedział się, że jest chory na AIDS, nie powiadomił o tym Marca, który niczego nieświadomy przez kolejny rok utrzymywał z nim stosunki seksualne. Marc odkrył prawdę w 1985 roku, kiedy Rock w Paryżu, gdzie udał się na kurację, przyznał w telewizyjnym wywiadzie, że jest chory.

„Rock był cudownym człowiekiem, ale zagrał z moim życiem w rosyjską ruletkę", stwierdził Marc w wypowiedzi dla „The National Enquirer". Historia doczekała się kontynuacji prawnej, ponieważ po latach Marc wytoczył sprawę spadkobiercom Rocka, a sąd orzekł, że są mu oni winni dwadzieścia jeden milionów dolarów z uwagi na „zuchwałe zachowanie" Rocka Hudsona, który zaraził Marca AIDS, nie wyjawiając mu prawdy o swojej chorobie.

Zainkasował z nich tylko pięć milionów, które niemal w całości wydał na leczenie, niestety bezskuteczne. Aby chronić jego reputację, siostra Marca Susan Dahl ogłosiła oficjalnie, że jej brat zmarł w wyniku problemów z płucami.

Śmierć MacGinnisa, która nastąpiła w czerwcu 2009 roku, podobnie jak jego romans z Rockiem Hudsonem utrzymywana była w tajemnicy i dopiero po sześciu miesiącach prasa amerykańska opublikowała wiadomość o jego zgonie.

Oczywiste zatem, że w takim kontekście szeptało się o domniemanym homoseksualizmie Cary'ego Granta, choć plotce zdawało się obiektywnie zaprzeczać prywatne życie gwiazdora angielskiego pochodzenia. Wątpliwości na temat jego ewentualnego biseksualizmu rozwiewał fakt, że w chwili kiedy poznał Sophię Loren, mister Cary Grant miał już na swoim koncie trzy małżeństwa.

Jeśli małżeństwo w przypadku geja mogło wydawać się podyktowane *zachcianką*, to uczynienie tego trzykrotnie było naprawdę mało wiarygodne. Dla ścisłości – kiedy los zetknął go z Sophią Loren, funkcję pani Grant sprawowała urocza aktorka o nazwisku Betsy Drake.

Cary Grant, którego prawdziwe nazwisko brzmiało Archibald Alexander Leach, przyszedł na świat 18 stycznia 1904 roku w ubogiej rodzinie w angielskim Bristolu.

W wieku piętnastu lat uciekł z domu, żeby przyłączyć się do grupy artystów cyrkowych i akrobatów. Zarabiał na życie najpierw jako linoskoczek, a potem aktor musicalowy. Umiał śpiewać i tańczyć i dlatego kiedy w latach dwudziestych przeniósł się do Ameryki, odniósł pewien sukces na Broadwayu, a potem wszedł do świata kina, kręcąc w wieku dwudziestu ośmiu lat swój pierwszy film.

W krótkim czasie wystąpił w wielu obrazach, wśród których znalazła się niezapomniana *Osławiona* z Ingrid Bergman, film z 1946 roku, słynny również z powodu najdłuższego pocałunku na wielkim ekranie. Kilka lat wcześniej, w 1940 roku, zagrał w komedii *Moja najmilsza żona*.

Sławny i wielokrotnie rozwiedziony, kiedy pytano go, która z żon była jego naprawdę ulubioną, odpowiadał, że wszystkie nimi były, problem leżał w tym, że to on *nie był* tym najmilszym mężem. Pozostawiając żarty na boku, Grant był jednym z siedmiu mężów „biednej bogaczki" – miliarderki Barbary Hutton, która przypłaciła swoje nieskończone bogactwo nieszczęśliwym życiem, bezskutecznie ożywianym licznymi małżeństwami.

To oczywiste, że rozwód z Hutton przyniósł korzyści finansowe fascynującemu, ale skąpemu Cary'emu, który z powodu swojego sknerstwa wolał zaoszczędzić kilka dolarów, dzieląc przez dwanaście lat wydatki na utrzymanie willi w Malibu z Randolphem Scottem.

Enrico Lucherini poznał Cary'ego Granta, kiedy aktor gościł w rzymskim hotelu Excelsior.

„Wcale nie wydał mi się gejem. To prawda, że w czasach naszego spotkania, w latach pięćdziesiątych, star system nakazywał homoseksualistom, by to ukrywali, ale on wydał mi się fascynującym hetero".

Mierzący metr osiemdziesiąt siedem wzrostu Cary utrzymywał się w znakomitej formie dzięki graniczącej z paranoją uwadze, jaką przywiązywał do własnego ciała. Żaden aktor, ani wczoraj, ani dziś, nie mógł przytyć, a wręcz musiał być na granicy chudości, bo jak wiadomo, zarówno ekran kinowy, jak i telewizyjny dodaje mniej więcej cztery kilogramy.

W naszych czasach ktoś, kto spotyka na przykład George'a Clooneya, zaskoczony jest jego szczupłością, której nie dostrzega się w kinie. Niektóre aktorki ocierają się o anoreksję, dochodząc do rozmiaru 34, jak Keira Knightley, partnerka Johnny'ego Deppa w serii o piratach z Karaibów, i często rozczarowują swoim wyglądem osoby oglądające je na żywo.

Również Lucheriniego, poza urokiem estetycznym Granta, uderzyła jego maniakalna higiena i pasja do jogi oraz samotnych treningów.

W latach pięćdziesiątych i sześćdziesiątych wielkim powodzeniem cieszył się Gayelord Hauser, naturalizowany Amerykanin
austriackiego pochodzenia, stosujący naturalne metody leczenia.
Również Grant, podobnie jak Greta Garbo i inne sławne aktorki,
stosował diety Hausera, który głęboko wierzył w pozytywny wpływ
na zdrowie i urodę piwnych drożdży, otrębów i witaminy B.

Poza zdrowotnymi dietami, które utrzymywały go w formie,
Grant stosował się też do zasad jogi. Lucherini nigdy nie zapo-
mniał pozycji Granta w holu Excelsiora, kiedy czekał na przybycie producenta, żeby omówić projekty zawodowe: siedział, nie
krzyżując nóg, aby nie zaszkodzić właściwemu krążeniu krwi,
z dłońmi na kolanach skierowanymi ku górze, by czerpać energię z kosmosu.

Zwyczaje Cary'ego Granta pozwalają zrozumieć, dlaczego
w wieku pięćdziesięciu trzech lat, czyli będąc trzydzieści lat starszym od Sofii i kilka od Carla Pontiego, wyglądał na dużo młod-
szego. Poza tym był także mężczyzną błyskotliwym, sławnym
i fascynującym. Po trzech małżeństwach znał romantyczną i czasem kapryśną duszę kobiet, umiał je uwodzić, trafiając w najsłab-
sze punkty.

Kiedy Grant zaczął kręcić *Dumę i namiętność*, nie potrzebował wielu dni, żeby okazać Sofii, jak wielkie zrobiła na nim wrażenie. Każdego dnia posyłał jej wielkie bukiety kwiatów. Zaczynała
się w ten sposób autentyczna historia miłosna między najbardziej
eleganckim gwiazdorem Hollywoodu, o pełnej udręk przeszłości
podobnej do losów młodej Loren, a naszą Sofią, która wyrosła
przy via Solfatara w Pozzuoli pośród głodu i bomb.

Baśniami są nie tylko historie opowiadane dzieciom przed zaśnięciem, żeby mogły pomarzyć. Istnieją również baśnie, które
urzeczywistniają się w życiu, a jedną z nich jest historia Sofii.

SOFIA, CARY I MARCELLO

W powieściach i w filmach są dwa toposy, dwa miejsca, gdzie może się rozpętać namiętność: pierwszy to jakiś odosobniony azyl, grota, chata, altana dla bardziej wyrafinowanych, gdzie para bohaterów znajduje schronienie w czasie burzy, która pośród piorunów i błyskawic wylewa strumienie wody, i tam pozwalając naturze kierować się własnym instynktem, oddaje się gwałtownej namiętności.

Drugie miejsce to jakieś oczko wodne, staw, rzeczka, wodospad, w którym kąpie się dyżurna piękność, naga jak ją Pan Bóg stworzył, ku radości i pożądaniu męskiego bohatera, który zupełnym przypadkiem znajduje się w tych okolicach i zatrzymuje, żeby ją podglądać.

Również w *Dumie i namiętności* prawdziwe, nie fikcyjne, pożądanie Cary'ego Granta wywołuje kąpiel Sofii w jeziorze, z którego wynurza się, osłaniając po chwili swoje okazałe kształty dużą końską derką.

W owych czasach cenzura nakazywała aktorkom, aby udawały nagość, zakładając różowy trykot: tak osłonięte ciało miało właściwy odcień, a reszty dopełniała wyobraźnia widzów. Również Grant wyobraził sobie bardzo dobrze posągową figurę swojej młodej partnerki i zaczął się w niej zakochiwać.

Historia *Dumy i namiętności* rozgrywała się, przyjmując tony epickie i górnolotne, w roku 1810, kiedy Hiszpanie musieli walczyć, cofając się przed oddziałami francuskimi.

Bardziej niż gwiazdorzy z Hollywood: Sinatra i Grant, prawdziwym bohaterem tej superprodukcji była olbrzymia armata, którą jakiś krytyk oskarżył o to, że jest gigantycznym symbolem fallicznym, a która stanowiła sedno akcji wymyślonej przez pisarza Cecila Scotta Forestera. Granemu przez Granta oficerowi angielskiej marynarki wojennej wyznaczono najeżone niebezpieczeństwami zadanie przetransportowania armaty poza granice hiszpańskie.

Opatrznościowe stało się więc przymierze z przywódcą partyzantów, granym przez Franka Sinatrę, który postawił jeden warunek: chciał, żeby przed wywiezieniem armaty poza Hiszpanię, pozwolono mu jej użyć do zrobienia wyłomu w murach Ávili, w szlachetnym celu wspomożenia hiszpańskich buntowników.

Sprawy skomplikowała oczywiście Sofia, w roli jego przepięknej narzeczonej Juany, zakochując się w przystojnym oficerze i przyprawiając rogi Sinatrze, który już w życiu prywatnym naznaczony był burzliwym związkiem z Avą Gardner.

Czy to dlatego, że w historii pobrzmiewały echa faktów, które dręczyły zazdrosnego Sinatrę, czy też dlatego, że jego wygląd w zawadiackiej peruczce osłabiał podziw fanek, aktor zdawał się raczej mało przekonujący jako przywódca buntowników i dlatego w czasie zdjęć urok Cary'ego Granta bez większego trudu wyszedł na pierwszy plan.

Cary, dla którego to, że jest żonaty, najwyraźniej nie stanowiło problemu czy też przeszkody, by często się zakochiwać, z jednej strony zajęty był Sofią, z drugiej telegrafował, posyłając pełne zapewnień słowa do żony Betsy Drake, która wróciła do Hollywood po krótkiej europejskiej podróży, jaką para odbyła, by wziąć udział w wystawnych zaślubinach Grace Kelly z księciem Monaco Rainierem III.

Cary został przyjacielem Grace po nakręceniu w 1955 roku na francuskiej riwierze legendarnego *Złodzieja w hotelu*.

Więzy ich przyjaźni umocniło wspomnienie owych dni, które naznaczyły los jasnowłosej aktorki. Grace nie mogła zapomnieć, że to właśnie Cary'emu Grantowi wyznała swoje pierwsze wrażenia po spotkaniu z Rainierem, kiedy cała w emocjach przebyła spektakularną trasę do Monte Carlo, żeby zaprezentować się szukającemu żony księciu.

Złodziej w hotelu stał się filmem kultowym dla milionów fanów dzięki dwójce aktorów, tak pięknych i eleganckich, że niewiele ekranowych par było w stanie im dorównać.

Jednak sceny z Sofią, choć mniej wyrafinowane, były dużo bardziej seksowne, jak ta wyzywająca kąpiel w hiszpańskim stawie, która rozpaliła Granta do szaleństwa.

Róże posyłane jej przez Granta każdego wieczoru były bardzo wyraźną oznaką entuzjazmu, z jakim uwodził on młodą aktorkę, która na początku 1957 roku nie skończyła jeszcze dwudziestu trzech lat.

Cary Grant był wysoki, dobrze zbudowany i przepiękny. Był fascynującym mężczyzną o ciepłym i jednocześnie tkliwym spojrzeniu, co czyniło, że czułam się na planie bezpieczna.

Dla mnie, która mierzyłam się z ważną próbą w superprodukcji, mówienie po angielsku było dodatkową trudnością. Przerażało mnie to, choć uczyłam się z wielkim zaangażowaniem.

To on podpowiadał mi, kiedy powtórzyć ewentualnie scenę, żebym mogła w sposób bardziej poprawny wypowiedzieć moje kwestie.

Niezastąpiony Basilio Franchina został wysłany przez Pontiego, żeby towarzyszyć Sofii, i jego obecność była naprawdę nieodzowna. Był jej trenerem, to znaczy kazał jej powtarzać kwestie po angielsku, zanim wypowiedziała je na planie; był jej opiekunem i robił, co mógł, wraz z Marią Scicolone (która dołączyła do niego później), żeby zastąpić mamę Romildę, której brak Sofia bardzo mocno odczuwała.

Brakowało Sofii również Carla, ale rozumiała, że nie mógł pojawić się na planie *Dumy i namiętności*, nie wzbudzając podejrzeń na temat ich romansu, o którym prasa nie mogła jeszcze się dowiedzieć.

Przyciąganie między Sofią a Carym Grantem, trzydzieści lat od niej starszym, stawało się wzajemne, ale nie rodziło się wyłącznie z jego jakże przyjemnego, eleganckiego i przystojnego wyglądu.

Żeby utrzymać się w doskonałej formie fizycznej, poddawał się męczącym ćwiczeniom o piątej rano przed udaniem się do charakteryzacji. Wiele lat spędzonych na treningach w młodości, kiedy zarabiał na chleb jako akrobata, pozostawiło pozytywny ślad zarówno na jego ciele, jak też w poczuciu dyscypliny.

Coś więcej fascynowało dziewczynę, urzeczoną tą hollywoodzką legendą, która niczym w baśni nabrała u jej boku ludzkiego kształtu.

Sofia zdała sobie sprawę, że odczuwa ten dreszcz, o jaki inni partnerzy, młodsi od Granta, wcześniej jej nie przyprawiali.

Dlaczego? Było to pytanie, na które sama Sofia nie potrafiła znaleźć odpowiedzi, zdając sobie jednak sprawę, że tymi pomieszanymi uczuciami zdradza zaufanie Pontiego.

Każdego wieczoru przed zaśnięciem patrzyła z poczuciem winy na nowy bukiet róż przysłany jej przez Granta wraz z czułym bilecikiem i przy tym intensywnym zapachu zapadała w sen, odkładając na następny dzień odpowiedzi, jakich nie umiała sobie udzielić.

Wśród aktorów, którzy nie zdołali jej w sobie rozkochać, był młody piosenkarz Achille Togliani, partner z fotoopowieści, następnie Antonio Cifariello, jeden z przystojniaków kina popularnego, a przede wszystkim Marcello Mastroianni, jeden z najzdolniejszych i najsympatyczniejszych aktorów włoskich tamtych czasów.

W 1954 roku wybrał go jako partnera Sofii reżyser Alessandro Blasetti w przyjemnym filmiku bez żadnych pretensji *Szkoda, że to łajdak*.

Odgrywając zwyczajne przekomarzanie się między zakochanymi – on był taksówkarzem, ona córką złodzieja – Marcello i Sofia nakręcili miłosne sceny naiwne i niewinne, jak to było w zwyczaju w latach pięćdziesiątych. W równie niewinnych scenach wystąpiła Sofia u boku wielkiego Charles'a Boyera w *Co za szczęście być kobietą* w reżyserii tego samego Alessandra Blasettiego.

Marcello, uwielbiany przez kobiety, jako młody chłopak był narzeczonym Silvany Mangano, zanim ta stała się sławna za sprawą *Gorzkiego ryżu* i wyszła za mąż za producenta Dina De Laurentiisa. On był chłopakiem z prowincji z głową pełną marzeń, a ona, piękna nastolatka Silvana, była jego pierwszą miłością. Niewielu mogło przypuszczać, że ta dwójka nieznanych dzieciaków zdobędzie sławę i bogactwo, a także uznanie krytyki i niezliczone rzesze wielbicieli.

Obdarzony krótkim nosem, regularnymi rysami twarzy, głową i figurą godnymi starożytnej rzymskiej ikonografii, urodzony w Fontana Liri w 1924 roku, Marcello Mastroianni został odkryty przez Blasettiego, jednego z najzdolniejszych reżyserów kina lat pięćdziesiątych.

W kinie Marcello Mastroianni tyle razy był moim mężczyzną, mężem, kochankiem.

Nakręciłam z nim tak wiele historii, że mogę powiedzieć, iż dwadzieścia lat mojego życia spędziłam, pracując u jego boku.

Pamiętam, że nasza przyjaźń z Marcellem była wyjątkowa. Był dla mnie niezastąpionym, cudownym przyjacielem na całe życie.

Był wielkim człowiekiem, który odszedł zbyt szybko.

Właśnie, wielki człowiek i wielka przyjaźń.

Cudowny przyjaciel Mastroianni, co za każdym razem, kiedy ją o to pytano, podkreślała, zaprzeczając podejrzeniom i plotkom insynuującym, że para aktorów naprawdę przeżywa miłosną historię.

Zdarzyło się jednak raz, że plotka o romansie między Sofią i Marcellem nabrała szczególnej mocy, a miało to nastąpić – według dobrze poinformowanych – podczas prac nad filmem *Szczególny dzień*, w którym bohater gej doświadcza uczucia miłości wobec gospodyni domowej, matki sześciorga dzieci.

Film z 1977 roku w reżyserii Ettorego Scoli uznawany jest przez krytykę i publiczność za małe arcydzieło.

Nakręcony w Rzymie obraz ma za tło Palazzo Federici, budowlę typową dla dwudziestolecia międzywojennego, zaprojektowaną przez architekta Maria De Renziego, która wyrasta obok koszar Straży Celno-Podatkowej przy viale XXI Aprile. Lokalizację tę podpowiedział Scoli Maurizio Costanzo, scenarzysta filmu wraz z Ruggerem Maccarim. Ciekawe, że budynek stoi w tej samej dzielnicy, gdzie jest via Balzani, przy której mieszkały Romilda, Sofia i Maria Scicolone.

Byli tacy, którzy by poprzysięgli, że czterdziestotrzyletnia Sofia i Marcello tak bardzo utożsamili się z granymi postaciami, iż od fikcji przeszli do faktów. Jak to się często dzieje w wypadku pikantnych plotek, rodziło się podejrzenie, iż sytuacja ta ujawniła skrywaną od lat prawdę.

A jak było w rzeczywistości?

Czy Sophia Loren i Marcello Mastroianni naprawdę się kochali?

Oddajmy głos faktom i świadectwu z kontrolowanego źródła.

Kiedy Sofia poznała Mastroanniego, miała niespełna dwadzieścia lat. Myślała o karierze, a jej serce zajęte było przez Carla Pontiego.

Sofia i Marcello mogli kręcić najgorętsze sceny seksu, nie odczuwając przy tym dreszczu namiętności. Twierdzono, że Mastroanni bał się zdenerwować potężnego producenta, igrając z jego przychylnością.

W 1950 roku Marcello ożenił się z Florą Clarabellą, koleżanką ze studiów w Centro Sperimentale w Rzymie. Flora była uroczą dziewczyną z zębami jak u króliczka, co czyniło ją jednocześnie seksowną i delikatną. Ich związek będzie początkowo szczęśliwy, urodzi im się Barbara, ukochana córka, ale potem, z upływem lat, zaczną pojawiać się na nim rysy.

Marcello, jak zwykło się mówić, niczego sobie nie odmawiał, jeśli chodzi o kontakty z młodymi i pięknymi kobietami. Zaczął z Silvaną Mangano, żeby potem zakochiwać się w wielu innych, wśród których znalazła się też Eleonora Rossi Drago. Flora była nieszczęśliwa, ale znosiła zdrady, nie żądając nigdy separacji.

Pani Mastroianni została bardzo zręczną twórczynią haftowanych obrazów, tak dobrze wykonanych, że zgodziła się je wystawić. Haftowanie było sposobem na ukojenie nerwów, których przysparzał jej Marcello.

Wiele lat później los zetknie Mastroianniego z Catherine Deneuve, kruchą, jasnowłosą syreną o wyglądzie lalki i żelaznym charakterze, która w 1972 roku urodzi mu córkę Chiarę. Catherine wyznała, że Marcello nazywał ją francuskim huzarem, któremu najwyraźniej brakowało tylko wysokich butów i szabli, żeby dopełnić obraz stanowczego i zdecydowanego charakteru.

Inną kobietą o wielkim charakterze i urodzie, inną cudowną blondynką, którą rozpaczliwie kochał, była Amerykanka Faye Dunaway. W 1968 roku nakręcił z nią w Cortinie *Kochanków*.

Faye, która wciąż jest piękną kobietą, choć chirurgiczne ingerencje oddaliły jej wizerunek od wspaniałej przeszłości, postawiła Marcella przed wyborem: albo małżeństwo, albo rozstanie.

Mastroianni wybrał rozstanie i pozostał w związku z Florą Clarabellą, która wyhaftowała jeszcze wiele obrazków. Nigdy nie był Marcello tak blisko separacji jak wtedy, kiedy zakochał się w Faye i w Catherine, choć wiele lat później w jego sercu zagościła reżyserka Anna Maria Tatò, która, choć nie posiadała jasnej grzywy obu syren, uwiodła go swoją nieodpartą siłą.

Dochodzimy do świadectwa osoby, która dobrze go znała – Enrica Lucheriniego.

Lucherini wspomina Marcella Mastroianniego z uczuciem i podziwem, a wszystkim, którzy insynuowali, że między nim i Sofią było coś więcej, odpowiada słowami, które usłyszał od samego Marcella: „Dlaczego zbrukać tak piękną przyjaźń pieprzeniem się?". Te dosadne słowa z męskiego języka ucinają wszelkie plotki.

Marcello pozostawał zresztą z Lucherinim w dużej zażyłości, która zrodziła się w ciekawych okolicznościach.

W Rzymie, w dzielnicy Parioli, biuro Enrica sąsiadowało z mieszkaniem jednej z kochanek Marcella, młodej i uroczej tancerki. Marcello wchodził do biura Lucheriniego ukryty za ciemnymi okularami niczym bohater *Osiem i pół* Felliniego i nie rzucał się w oczy, ponieważ wielu aktorów odwiedzało agenta prasowego w sprawach zawodowych. Potem jednak Marcello wychodził przez drzwi na podwórze, żeby udać się do kochanki – w ten oto sposób nikt miał nie zwrócić uwagi na jego manewry.

Po kilku latach Lucherini kupił to przyległe wnętrze, gdzie tancerka już nie mieszkała, i zburzył dzielącą ścianę, żeby uzyskać większy lokal. Jeszcze dzisiaj, leżąc na ogromnym łożu-kanapie królującym pośrodku pomieszczenia, Enrico nie zapomina Marcella i jego pragnienia miłości.

Wróćmy jednak do Sofii i jej spotkania z Carym Grantem.

Dla młodej aktorki świat zdawał się dzielić na dwie części.

Z jednej strony świat włoski, w którym nie istniał rozwód, powód, dla którego wydawało się, że jej związek z Carlem Pontim nigdy nie przerodzi się w małżeństwo, skazując ją, jak powtarzała Romilda, na publiczną pogardę dla jej roli kochanki. Z drugiej strony świat amerykański, a raczej hollywoodzki, gdzie byli ludzie, którzy pobierali się i rozwodzili trzy, pięć, siedem razy i nie byli z tego powodu potępiani przez opinię publiczną.

Nonsens, który ją zadziwiał i sprawiał ból.

A jednak na swój sposób te dwa światy łączyły się, ponieważ w obydwu, tym włoskim i tym amerykańskim, istniała hipokryzja i purytanizm, i dlatego zarówno we Włoszech, jak i w Ameryce kochankami pogardzano, ale kiedy brali ślub, wybaczano im i akceptowano nowy związek.

W Hollywood gwiazdy i ich liczne małżeństwa stanowiły zawsze ciekawy temat. Rita Hayworth miała już w owym czasie na swoim koncie trzy małżeństwa i nie zamierzała na tym poprzestać; Lana Turner, która wciąż się rozwodziła i znów wychodziła za mąż, czy Elizabeth Taylor, która wyszła już za mąż dwukrotnie (a miała dojść do liczby ośmiu małżeństw, z czego dwukrotnie poślubiła Richarda Burtona). Cary Grant, potrójny małżonek, był aktorem uwielbianym przez prasę i przez producentów.

Natomiast Sofia, jeśli nie wyszłaby za Pontiego, zostałaby potępiona przez wytwórnie filmowe, gazety i opinię publiczną. Cary nie przestawał ostrzegać ukochanej Sofii i drażnił ją, robiąc sobie z niej żarty.

– Jesteś taka piękna, Sofio, i taka wierna. Nie rozumiesz, że rujnujesz sobie życie? W Hollywood zedrą z ciebie skórę, będziesz zawsze dziwką Pontiego...

Sofia irytowała się, ponieważ wiedziała, że Grant w gruncie rzeczy ma rację, ale jego słowa raniły ją, jak te wykrzykiwane w domu przez Romildę.

– I mówisz to ty, który ożeniony jesteś z Betsy i nie zamierzasz się rozwieść!

– Nie, Sofio, mylisz się. Wiedz, że już zacząłem brać pod uwagę rozwód z Betsy.

Były to słowa Cary'ego, szeptane jej po „dniówkach" na planie, kiedy aktor zapraszał Sofię na kolację. Zapach hiszpańskich wieczorów upajał ją bardziej niż róże Granta i słodkie piosenki Franka Sinatry, które tak lubiła jako dziewczynka.

Kiedy czuła się przyparta do muru, szeptała mu imię Betsy, jakby chciała obronić się przed wspomnieniem o innej żonie, Giulianie, która nie przestawała trwać u boku Carla, ukochanego przez Sofię mężczyzny.

– Twoja żona Betsy istnieje i nie możesz wymazać jej gąbką tylko dlatego, że mówisz o miłości do mnie...

Ekipa filmowa zdała sobie sprawę z rodzącego się *love story* między Carym Grantem, kapitanem Trumbullem, a Sophią Loren, wiarołomną Juaną. Sinatrę zbyt zaprzątały jego własne problemy, żeby się tym przejmować, a wręcz – dzięki swojemu DNA typowemu dla *Latin lover* – doceniał zaloty uwodziciela Cary'ego na równi z nienawiścią do rogów przyprawianych mu przez Avę Gardner.

Reżyser i współproducent Stanley Kramer musiał mierzyć się z trudnościami w realizacji filmu i nie miał czasu na zajmowanie się głupstwami dotyczącymi dwojga aktorów, którzy zakochali się na planie.

Dla Kramera bardziej liczyło się zapanowanie nad dziesięcioma tysiącami statystów, tysiącami koni i licznymi helikopterami, które miały kręcić ujęcia z góry i stanowiły prawdziwy latający szwadron.

Było to przedsięwzięcie niezwykle mozolne, jeszcze bardziej skomplikowane z powodu monstrualnych rozmiarów armaty, która w transporcie stwarzała więcej problemów niż Grant w oparach cudzołóstwa.

Problem natomiast miała, *of course*, pani Grant numer trzy.

Betsy Drake urodziła się we Francji z rodziców amerykańskich i była jedenaście lat starsza od Sofii.

Kryzys 1929 roku zmusił rodzinę Drake do powrotu parowcem do Ameryki. Obdarzona wdziękiem i pewnym talentem Betsy rozpoczęła karierę aktorską, ale ponieważ nienawidziła Hollywood, postanowiła zerwać kontrakt, przedstawiając zaświadczenie uznające ją za chorą umysłowo. Lepiej być uważaną za wariatkę niż stać się nią w trybach systemu gwiazd.

Cary'ego Granta poznała w Anglii, a on narzucił ją produkcji swoich filmów. Ładna, naturalna ciemna blondynka o błękitnych oczach, miała zdecydowanie silny, nieustępliwy charakter.

Kiedy Betsy zaczęła wyczuwać, że coś się święci między Carym a Sofią, spróbowała odzyskać go, przyjeżdżając na hiszpański plan. Zastała jednak nie najlepszą atmosferę, postanowiła więc spakować walizki i wrócić do Ameryki.

Jej przeznaczenie związane było z morzem.

Statkiem przybiła jako dziewczynka do wybrzeży Ameryki, statkiem przypłynęła z Anglii z Carym, żeby wyjść za niego za mąż w Stanach Zjednoczonych, i teraz statkiem miała powrócić do Nowego Jorku, żeby zrobić sobie przerwę na przemyślenie sytuacji – albo żeby się rozwieść.

Morze uspokajało ją, więc Betsy miała nadzieję, że podczas podróży opracuje zwycięską strategię, która pozwoli jej odzyskać Cary'ego. Wsiadła na transatlantyk „Andrea Doria", prawdziwy klejnot włoskiej floty. Ogromny i szybki, luksusowo urządzony, miał na pokładzie aż trzy odkryte baseny i mógł zabrać ponad tysiąc dwustu pasażerów.

25 lipca 1956 roku podczas przeprawy miała miejsce straszliwa kolizja ze szwedzkim statkiem „Stockholm" należącym do Swedish American Line, która pochłonęła czterdzieści sześć ofiar

spośród pasażerów „Andrea Doria" i pięć osób z załogi statku szwedzkiego. Wśród ofiar nie było nikogo z pierwszej klasy, którą podróżowała Betsy Drake oraz inna znana aktorka Ruth Roman, płynąca w towarzystwie syna.

Z pomocą pospieszył statek francuski. Nie wiemy, czy Betsy wierzyła w przeznaczenie, ale dostała na nie dowód w postaci dziwnego znaku: kiedy jako dziewczynka wracała z rodziną do Ameryki, płynęła statkiem o nazwie SS „Île de France".

Ratowniczy statek, który zabrał setki rozbitków z transatlantyku „Andrea Doria" stłoczonych na szalupach, też nazywał się „Île de France". Betsy potłuczona, ale cała, zrozumiała, że natychmiastowe rozwiązanie jej małżeńskich kłopotów z Carym Grantem nie jest istotne – ocalenie przed śmiercią pod symbolicznymi skrzydłami rodziny już było darem losu.

Kiedy Associated Press poprosiła Cary'ego o komentarz do ocalenia z morskiej katastrofy jego żony Betsy Drake, odpowiedział, że po raz pierwszy w życiu brakuje mu słów. Być może w jego przypadku lepiej było milczeć niż wypowiedzieć fałszywe, okolicznościowe frazesy, nie poprosił jednak o przerwanie zdjęć, żeby pospieszyć do Ameryki i znaleźć się obok wciąż pozostającej w szoku żony, czego spodziewała się po nim opinia publiczna.

Plan chciał natomiast opuścić Sinatra, zmęczony brakiem łatwego kontaktu z przyjaciółmi i różnymi szpiegami, którzy mogli mu opowiedzieć, co też kombinuje Ava Gardner.

Hiszpańskie linie telefoniczne uniemożliwiały mu częste połączenia z Los Angeles, dlatego też Frank wrócił do Ameryki przed czasem.

Stanley Kramer pogodził się z myślą, że skończy zdjęcia w Hollywood, pozostawiając jednocześnie Cary'emu Grantowi i Sophii Loren swobodę udziału w innych filmach. Dopiero w następnym roku obsada miała spotkać się znów w Mieście Aniołów, żeby dokończyć *Dumę i namiętność*.

Również Cary i Sofia wyznaczyli sobie spotkanie: mieli się ponownie zobaczyć w Hollywood.

Czas pokaże, czy ich historia pozostanie niezapomniana. Za sprawą ciekawego zbiegu okoliczności tytuł kolejnego filmu, który Grant miał nakręcić, brzmiał *Niezapomniany romans*.

CHŁOPIEC NA DELFINIE

Zdjęcia do *Dumy i namiętności* zaangażowały Sofię na tak długi czas, że Ponti miał pewne opory, by zaproponować jej natychmiast kolejny film.

Pokonał je jednak również z powodów egoistycznych. Zaangażować natychmiast energię młodej aktorki oznaczało odwrócić jej uwagę od niebezpiecznego uroku jednego z najbardziej podziwianych uwodzicieli Hollywood: Carlo Ponti był świadomy tego, jak bliska decyzji o opuszczeniu go i przyjęciu coraz natrętniejszych zalotów Cary'ego Granta była Sofia.

W 1956 roku Sophia Loren przeniosła się więc do Grecji, gotowa wcielić się w rolę posągowej, namiętnej piękności, zachłannej na zatopione skarby, w filmie *Chłopiec na delfinie* w reżyserii Jeana Negulesco, mając za partnera jednego z legendarnych aktorów jej dziewczęcych lat – Alana Ladda.

Jakież było zdziwienie Włoszki, kiedy odkryła, że jasnowłosy Ladd, którego pamiętała jako rosłego i czarującego kowboja walczącego z Indianami, po zejściu z siodła okazał się dużo niższy od niej, przywykłej przecież do towarzystwa niewysokiego Pontiego.

Opowiada się, że dla zrównoważenia różnicy wzrostu między dwojgiem aktorów nie wystarczał zwykły podnóżek, na którym stawał Ladd, żeby pocałować wyższe od siebie partnerki. Kręcenie spaceru w szerokim planie stało się naprawdę problemem: żeby nie pokazać go w niekorzystnym świetle, trzeba było wykopać mały rów, który pozwalał Sofii iść ramię w ramię obok Ladda, charakteryzacja zaś czyniła go młodszym, o mniej łysiejących skroniach. Wiadomo jednak, że sztuczki filmowe nazywane są efektami specjalnymi, a jaki efekt specjalny może być lepszy dla gwiazdora z Hollywood niż stanąć na *wysokości* młodej partnerki?

To właśnie w Grecji prasa odkryła miłosny związek między aktorką i producentem.

Po kilku tygodniach Carlo postanowił pojechać na plan, żeby spotkać się z Sofią. Na lotnisku w Atenach kilku fartownych paparazzich uwieczniło przepiękną gwiazdę ubraną w prostą szmizjerkę, która obejmowała i w uniesieniu całowała producenta z wielką czułością.

Czy to szczęśliwy przypadek, że na lotnisku w Atenach byli paparazzi? Czy namiętność Sofii była tak bardzo niepohamowana, że dziewczyna zapomniała o ostrożności, która zmuszała wcześniej parę kochanków, aby nigdy publicznie nie okazywali uczuć?

Ktoś insynuował, że nie wszystko zdarzyło się przypadkiem. Sofia zadręczana była przez Romildę, która wciąż podkreślała niejasną pozycję Carla Pontiego, pozostającego oficjalnie mężem Giuliany Fiastri, szczęśliwym ojcem dwójki dzieci, a jednocześnie cudzołożnikiem i tajemnym kochankiem. Klasyczna gra na dwa fronty, co doprowadzało Romildę do szału. Matka nie przestawała wypominać córce, że ta wybrała, podobnie jak ona, niewłaściwy styl życia. Opuszczona i zdradzona przez Riccarda Scicolonego, widziała w Sofii kopię swojego drwiącego losu.

Ktoś dodaje, że w rzeczywistości jedną z bolączek Romildy było to, iż pokaźnymi dochodami Sofii, czyli milionowymi honorariami z hollywoodzkich kontraktów, rozporządzał Ponti, który mocno zacisnął sznurek sakwy. Słowem, Sofia nie mogłaby swobodnie zerwać związku z Carlem, ponieważ podporządkowana była jego władzy jedynego administratora jej zarobków.

Nie odpowiadało to prawdzie, ale zapewne sama Sofia czuła się już zmęczona rolą sekretnej kochanki Carla i była zazdrosna o jego małżeński związek z Giulianą. Ale przede wszystkim chciała dostąpić przynoszącego szacunek określenia „pani".

Jej pragnienie macierzyństwa stało się już niemal neurotyczne. Im bardziej chciała zajść w ciążę, tym stawało się to trudniejsze, prawie tak jakby przekleństwo bezpłodności ciążyło na niej niczym kara za bycie cudzołożną kochanką.

Wszystko to każe sądzić, że Sofia celowo obejmowała i namiętnie całowała Carla Pontiego po jego przyjeździe do Grecji, aby na łamach prasy wybuchła bomba o ich miłosnym związku.

Od tej pory zdarzało się to systematycznie, wzbudzając zaciekawienie, lawinę artykułów i uwagi, które piętnowały ich związek, w tym potępienie przez instytucje kościelne niejasnej i niestosownej postawy Pontiego, wciąż związanego z Fiastri regularnym węzłem małżeńskim zgodnym z rytuałem katolickim.

W HOLLYWOOD

Po magicznych nocach w Ávili, spędzonych na marzeniach i przy kolacjach z Carym Grantem, po kąpielach w Morzu Egejskim z jasnowłosym Alanem Laddem, pannie Scicolone przytrafiła się najniebezpieczniejsza przygoda w życiu.

Sofia już raz ocalała. Śmierć musnęła ją, kiedy miała sześć miesięcy, z powodu zatrucia soczewicą. Przez wiele lat Sofia będzie się budziła zdjęta lękiem, skazana na to, by na nowo przeżywać potworność, jaka ją spotkała w oazie na saharyjskiej pustyni.

Przebywała w Afryce, kręcąc zdjęcia do filmu *Legenda zaginionego miasta*, który we Włoszech nosił tytuł *Timbuctù*.

Męskim bohaterem był wielki John Wayne, reżyserem Henry Hathaway, a ona wcielała się w postać niewolnicy Diny.

Sofia opisuje Wayne'a jako człowieka imponującego, autorytarnego, szorstkiego, ale dobrze wychowanego. Skoncentrowanego na pracy i zakochanego w żonie Pilar. John Wayne nigdy nie nawiązał z włoską artystką przyjaźni, jaka rodzi się często między aktorami na planie, szczególnie kiedy grają w uciążliwych warunkach. A warunki w miasteczku Ghadames naprawdę nie były komfortowe. Sofia mieszkała w bardzo skromnym motelu i mimo koców i gazowego piecyka, wstawionego przez ekipę do jej pokoju, cierpiała największe w życiu zimno, które wręcz paraliżowało jej kończyny.

Być może z obawy przed lodowatymi przeciągami, ale również dlatego, że przywykła robić tak w każdej części świata, przed położeniem się spać Sofia zamykała szczelnie drzwi i okna.

Zawsze bałam się intruzów, tak samo jak zawsze bałam się ciemności.

Pewnej nocy, śniąc jakiś straszny koszmar, w którym zdawało się jej, że się dusi, spadła na podłogę i prawie zemdlała. Miała ściśnięte gardło i nie mogła oddychać. W tym zamkniętym pudełku, jakim był jej pokój, Sofia przeżyła śmierć osoby pochowanej żywcem w klaustrofobicznej ciemności, mając straszliwe uczucie, że nie może się poruszyć ani oddychać.

„Umieram otruta" – oto mrożąca krew w żyłach wersja, jaka na moment rozdarła zamroczony umysł aktorki, przy czym nie była w stanie wydać z siebie żadnego dźwięku, żeby wezwać pomoc. Sofia odwołała się do swojej rozpaczliwej woli życia: bardzo powoli przeczołgała się w stronę drzwi, gdy tymczasem płuca paliły ją żywym ogniem.

Zajęło jej to całe wieki, a tymczasem koszmar wsysał ją w wir bez ratunku.

Byłam świadoma, że umieram, ale zamiast się poddać, odezwała się we mnie jakaś cudowna siła. Była to jakby nieznana rezerwa energii, wypełniająca z mojej woli na pół sparaliżowane ciało, które nie reagowało.

Milimetr po milimetrze, centymetr po centymetrze, z nieznośną powolnością doczołgałam się do drzwi i jakąś nadludzką siłą zdołałam je otworzyć.

Nieprzytomną Sofię znalazł przechodzący korytarzem Rossano Brazzi i zaczął rozpaczliwie wzywać pomocy. Uratowało ją sztuczne oddychanie metodą usta-usta, dosłownie kilka sekund przed śmiercią. Przyczyną było ulatnianie się gazu z uszkodzonego piecyka, co stwierdził badający aktorkę lekarz, który przepisał jej serię zastrzyków. Przez cały następny tydzień Sofia cierpiała na straszliwe bóle głowy, ale musiała kontynuować zdjęcia.

Po raz kolejny przeznaczenie zmieniło swój bieg tuż przed odebraniem młodej kobiecie życia, ale jak zawsze Sofia obdarzona została przychylnością losu, walcząc do wyczerpania sił.

Ta rozpaczliwa walka o przeżycie również zapisana była w jej DNA.

Urodziłam się stara i już w łonie matki uczyłam się stawiać czoło przeciwnościom życia.

Ileż to razy miała powtórzyć te słowa. W dobrych i w złych chwilach życie, które wynosiło ją na szczyty z powodu jej piękności i sławy, nigdy nie miało jej nic podarować, nie żądając czegoś w zamian.

Rossano Brazzi, jeden z partnerów w *Legendzie zaginionego miasta*, opisywany jest przez Sofię jako drogi przyjaciel, zawsze nienagannie uczesany i ubrany, niezależnie od warunków klimatycznych. Niezbyt wysoki, szczupły, o fascynującym spojrzeniu i zawsze lekko rozchylonych wargach, jakby miał właśnie pocałować partnerkę, określany był mianem *Latin lover*.

Zadebiutował w teatrze we Włoszech w sztuce Sema Benellego *Uczta szyderców*, a potem został idealnym łacińskim kochankiem w Stanach Zjednoczonych, gdzie zagrał w *Małych kobietkach* u boku młodziutkiej Elizabeth Taylor w blond peruce oraz June Allyson.

Po zdobyciu sławy występował w towarzystwie gwiazd kalibru Lauren Bacall czy Humphreya Bogarta i Avy Gardner w *Bosonogiej contessie*. Sukces kasowy przyniósł mu film *Trzy monety w fontannie*, ale prawdziwą apoteozę osiągnął w *Urlopie w Wenecji* u boku legendarnej Katherine Hepburn.

Rozpieszczany przez międzynarodową prasę, był mężem Lidii Bartolini, sympatycznej pani, byłej aktorki, która pilnowała go, nie ustępując nawet o centymetr z władczej pozycji żony. Lidia, kobieta o pokaźnej wadze niczym z obrazów Fernanda Botera, jak opisała ją pewna młoda dziennikarka, nie zawahała się przeparadować w dezabilu przez pokój, w którym dziewczyna przeprowadzała wywiad z jej mężem.

Półnaga w czarnej bieliźnie godnej Maty Hari zatrzymała się potem przed osłupiałym wzrokiem nieszczęsnej dziewczyny, gdy tymczasem Rossano nie mrugnął nawet okiem, jakby to było coś najbardziej naturalnego w świecie. Był to ze strony małżonki ironiczny, a może desperacki sposób, aby mu przypomnieć, że – abstrahując od jej maxi rozmiarów – Rossano rolę *Latin lovera* mógł odgrywać na ekranie, ale w życiu mógł nim być tylko z nią.

W owym 1957 roku, tak wypełnionym pracą, po zakończeniu zdjęć do filmu z Johnem Waynem, dla Sofii nadeszła wreszcie chwila, by wylądować w Hollywood.

Towarzyszyć jej miała nie matka Romilda, ale raz jeszcze siostrzyczka Maria, która rok wcześniej była u jej boku podczas realizacji *Dumy i namiętności*.

Młodziutka Maria z entuzjazmem przeżywała fantastyczne doświadczenie, jakie oferowała jej Sofia. Dla niej podarunkiem od losu było już poznanie Cary'ego Granta i Franka Sinatry, którego głos uwielbiała. Nie miało znaczenia, że w filmie aktor nie śpiewa, wcielając się w rolę buntownika zakochanego w Juanie.

Maria znała na pamięć amerykańskie piosenki, nawet te najtrudniejsze, bo jako dziewczynka, kiedy była „dzieckiem wojny" w wieku zaledwie pięciu lat, nauczyła się ich od amerykańskich żołnierzy, którzy przychodzili do zaimprowizowanego pubu w domu Villanich.

Maria tańczyła i śpiewała swoim prześlicznym głosem piosenki Irvinga Berlina albo George'a Gershwina, zapewne z neapolitańskim akcentem. A teraz, kiedy znajdowała się obok swojego mitu – Sinatry z krwi i kości – wychodziła wręcz ze skóry.

Jedyny problem polegał na tym, że Sofia bardzo wcześnie kładła się spać, o siódmej, najpóźniej o ósmej. Chciała, żeby Maria szła do łóżka o tej samej porze, bo nazajutrz musiały wstawać o świecie.

Maria opowiada, że zmywała starannie makijaż, kładła się do łóżka, Sofia całowała ją na dobranoc, a kiedy siostra zasypiała, Maria wstawała, na nowo się malowała i uciekała, żeby odszukać Sinatrę, który – aby pocieszyć się po stracie Avy – gościł w swojej przyczepie młodą, płomiennie rudowłosą Irlandkę. Między jedną piosenką a drugą, śmiejąc się i żartując, Maria spędzała tam czas do czwartej. Wślizgiwała się potem cichutko do przyczepy Sofii, znów zmywała makijaż i spała do piątej, kiedy siostra budziła ją delikatnie, żeby iść razem na plan. Trzy miesiące spędzone niemal bezsennie nie wpłynęły na nastrój Marii, choć na planie ucinała sobie czasami krótką drzemkę, kiedy Sofia kręciła kolejne sceny.

Kiedy nadeszła pora wyjazdu do Hollywood, Sofia i Maria były obie szczęśliwe, choć z różnych powodów. Sofia wiedziała, że trafi wreszcie do mekki kina, która była najbardziej pożądanym i upragnionym celem jej młodego życia. Maria niczym kot była ciekawa tej przygody, która znów zetknie ją z Sinatrą i Carym Grantem, gwiazdorem zakochanym w jej siostrze, a dla niej samej serdecznym przyjacielem.

Kiedy już znalazły się w Hollywood, pierwsze wrażenia Sofii były, jakby trafiła do filmowego Bengodi, jak wyznała swojemu biografowi Aaronowi E. Hotchnerowi.

Hollywood było dokładnie takie, jak je sobie wyobrażałam.

W magicznej scenerii sunęły drogi, połyskujące kolorami samochody, w willach były obowiązkowe baseny, w których właściciele rzadko się kąpali. Wszędzie były gigantyczne drugstore'y i gigantyczne motele.

Uwielbiałam drive-in, gdzie mogłam jeść na tacach, tak jak to widywałam jako dziewczynka w filmach w małym kinoteatrze w Pozzuoli.

Wszystko było dla mnie nowe z powodu jakże różnego w stosunku do naszego stylu życia.

Sofia, niczym Alicja w Krainie Czarów, była zauroczona pełnymi niespodzianek party wydawanymi w luksusowych willach gwiazd. Po kolacji, jakby za sprawą cudu, zza ściany obrazów, wśród których mógł się znaleźć na przykład jakiś Modigliani albo flamandzki arras, wyłaniał się ekran – wyświetlano na nim, często jako prapremierę, dopiero co nakręcony film gospodarza domu albo któregoś ze znakomitych gości.

Mogło się zdarzyć, wspomina Maria, że John Wayne przyjmował gości w kowbojskim kapeluszu na głowie, a zaproszonymi byli najsłynniejsi aktorzy na świecie, i wtedy zamiast jakiejś pierwszej lepszej panny Rossi mogłeś słuchać Avy Gardner, która dobrze ustawionym głosem śpiewała przy akompaniamencie fortepianu. Mogłeś usiąść obok Roberta Mitchuma albo Rity Hayworth, lub też poznać Freda Astaire'a. Kiedy Maria zobaczyła go po raz pierwszy, instynktownie zamiast spojrzeć mu w twarz, skierowała oczy na jego słynne stopy w oczekiwaniu, że rozpędzą się w niepohamowanym stepowaniu.

Wśród gości mogła pojawić się podstarzała, ale wciąż fascynująca Barbara Stanwyck, przypominająca Sofii jej pierwsze kroki w kinie jako statystki w *Quo vadis?*. Bohaterem tego filmu był mąż Barbary Robert Taylor, gwiazdor o najbardziej błękitnych oczach w Hollywood.

Tamtego wieczoru w domu Johna Wayne'a, kiedy Barbara gratulowała jej sukcesów, Sofia poczuła dumę, przypominając sobie, jak została upokorzona w Cinecittà przez żonę ojca Nellę, która wykrzykiwała pośród statystów z *Quo vadis?*, że pani Scicolone jest tylko jedna, właśnie ona. Teraz w Hollywood przebywała gwiazda – Sophia Loren, której inne gwiazdy oddawały cześć.

Najzabawniejszymi kolacjami były proste i wesołe spotkania, jakie Cary Grant improwizował dla Sofii i Marii, za pozwoleniem żony Betsy Drake, która dużo podróżowała, zostawiając go samego w domu, żeby mógł się swobodnie zastanowić nad swoją przyszłością.

W willi Cary'ego wszędzie leżała biała wykładzina, liczne obrazy w złoconych ramach zdobiły salon, w którym stały też olbrzymie kremowe kanapy i bukiety zawsze świeżych róż, o co dbała ubrana w fartuszek gosposia.

Maria wspomina, jak relaksowały się z Sofią w kuchni, wyposażonej w najnowszy sprzęt, z oknami ozdobionymi zasłonkami w czerwoną kratkę, zza których zerkało się do ogrodu, gdy tymczasem Cary w kucharskim fartuchu przyrządzał zupę rakową. Najlepszą jednak przyprawą były komiczne pokazy baletowe, jakie Cary improwizował między jednym a drugim daniem na cześć ukochanej Sofii.

– Pośród wielu aktorów Cary był moim największym przyjacielem – opowiada Maria. – Przez lata pisywaliśmy do siebie listy, a on podpisywał się Cary-Filippo, dlatego, że tak go dla żartu przezwałam.

– Gdybyś był Włochem, powinieneś nazywać się Filippo – mówiłam mu, a on śmiał się, mając nadzieję, że podbije wreszcie ostatecznie serce Sofii.

W tym miejscu, na fali wspomnień, Maria przyznaje, że Cary prawdziwie i na poważnie deklarował swoją miłość do Sofii. Miłość, a przynajmniej słodką czułość, która miała trwać przez całe życie Cary'ego, a on sam przyjechał nawet z pielgrzymką do Pozzuoli, żeby poznać rodzinę Villani. Była to wizyta, która umknęła uwadze prasy, ale w najmilszych wspomnieniach Sofii zajęła ważne miejsce.

Przy tej okazji Cary chciał zwiedzić Amfiteatro Flavio, którego ruiny opowiadają długą, wielowiekową historię o walkach gladiatorów i męczeństwie chrześcijan. Właśnie na tej arenie, w 305 roku, męczennik January rzucony został na pastwę lwom, stając się najbardziej ukochanym świętym protektorem ludu neapolitańskiego.

Sofia nosiła w sercu niezatarte wspomnienie spacerów po Amfiteatro Flavio, kiedy wraz z matką Romildą oglądała zafascynowana jego ruiny, dumna, że mieszka tuż obok tego zabytku starożytno-ści. Cary Grant chciał też pojechać do Lucrino, nadmorskiej miej-scowości, gdzie Sofia i Maria jako dziewczynki chodziły się kąpać.

– Cary był osobą otwartą, opowiadał zabawne historie. Jeśli nie chciał odpowiadać na pytania, które wprawiały go w zakło-potanie, podśpiewywał jakąś śmieszną rymowankę. Był to jego sposób, żeby uciec przed naszą ciekawością.

To Cary Grant otworzył przed Sophią Loren drzwi do ca-łego Hollywood. Miasta pełnego fantasmagorycznych świateł, kryjącego też wiele cieni, których świadome były bogate, piękne i sławne gwiazdy. To właśnie sukces je niszczył, najpierw poprzez wysiłek osiągnięcia go, potem ze strachu, że się go utraci.

Grace Kelly, przepiękna księżna Monako, laureatka Oscara dwa lata przed przyjazdem Sofii, twierdziła, że nigdy w Holly-wood nie była szczęśliwa: „Nigdy nie poznałam takiego miejsca na ziemi, gdzie tylu ludzi miałoby depresję, gdzie byłoby tylu al-koholików i nieszczęśliwych neurotyków". Dodawała, że trzeba było mieć bardzo silne nerwy, by tam żyć.

Cary ostrzegał Sofię przed niebezpieczeństwami, opowiadał jej o kulisach pikantnych plotek i jak zwykliśmy mawiać dzisiaj, wskazywał jej kierunki, żeby nie zrobiła fałszywego ruchu.

Wkrótce jednak Sofia odkryła, co niepokoi ją – jeśli wręcz nie przeraża – w Hollywood.

Tam, w każdej willi, rozmawiało się wyłącznie o kinie, o prob-lemach produkcyjnych, o kosztach i wpływach. Nie istniały żadne inne tematy poza tymi, które krążyły wokół biznesu. Jeśli ktoś nie był przygotowany, ryzykował, że się skompromituje, wygła-szając komentarze nie na miejscu, albo że będzie się nudził. So-fia zaczynała rozumieć, że jeśli pozostanie dłużej w stolicy kina, szanse rozwoju jej kariery będą znikome, ponieważ role dla dziewczyny z Europy, nawet tak ślicznej i seksownej jak ona, bardzo szybko się wyczerpią.

Tymczasem zdjęcia do *Dumy i namiętności* wreszcie się zakończyły i Sofia dostała rolę macochy Anthony'ego Perkinsa w *Pożądaniu w cieniu wiązów*. Obsada była na znakomitym poziomie, ale kazirodczy związek między nią i Anthonym, który grał rolę syna jej męża Burla Ivesa, nie spotkał się z oczekiwanym sukcesem ani u krytyki, ani kasowym. Między dwójką bohaterów nie wytworzyła się ta zmysłowa alchemia, jaka czyni wiarygodnymi porywy namiętności. Na nic biedny Anthony, otoczony aurą homoseksualizmu, wysilał się, by udawać żar uczuć wobec pięknej włoskiej partnerki.

Dla rozrywki albo dogadania interesów odbywały się przyjęcia i party, organizowane przede wszystkim w willach aktorów, położonych najczęściej w Beverly Hills albo w Bel Air.

Ważnych lokali było niewiele, najsłynniejszy z nich nazywał się Mocambo. To tam odbyło się jedno z pierwszych party na cześć świeżo przybyłej do Hollywood Sophii Loren. Właśnie w Mocambo miało miejsce spotkanie z Jane Mansfield, lansowaną przez agentów prasowych jako sexy odpowiedź na Marilyn Monroe.

Sofia, która siedziała na honorowym miejscu obok Louelli Parsons, nie wiedziała nawet, kim jest blondynka, która podeszła do niej, pochylając się, by się przywitać. Czy zdarzyło się to przypadkiem, czy raczej – co bardziej prawdopodobne – za sprawą cynicznej strategii reklamowej – nie ulega wątpliwości, że z szerokiego dekoltu wieczorowej sukni Mansfield wynurzyła się pierś w chwili, gdy fotoreporterzy pstrykali zdjęcie za zdjęciem, uwieczniając tę scenę. Fotografia dwóch aktorek, Sofii lekko zdumionej i uśmiechniętej Jane z cyckiem na wierzchu, stała się kultowym zdjęciem historii obyczaju.

Straszliwy koniec czekał Mansfield, która zginęła w wypadku samochodowym z odciętą głową. Ze związku z Mikiem Hargitayem miała córkę Mariskę, aktorkę cenioną dziś przez pasjonatów serialu *Prawo i porządek*. W jej koszmarach powraca ów fatalny wypadek: kiedy to się stało, ona i jej braciszkowie, Zoltan i Miklós, siedzieli na tylnych miejscach

Cary Grant robił wszystko, żeby pobyt Sofii i Marii uczynić przyjemnym. Zdarzało się, że przyjeżdżał po nie autem z odkrywanym dachem i wszyscy razem śpiewali na całe gardło, z wiatrem we włosach, *Get out of the town...*

W innym przebłysku pamięci Maria widzi Sofię w apaszce na głowie w otwartym samochodzie, patrzy na nią oczami błyszczącymi ze szczęścia i mówi w dialekcie neapolitańskim: *„Chi l'avesse a dicere..."**.

No właśnie, kto by powiedział, że z Pozzuoli i z Neapolu, pozbawionych jedzenia i wody, dwie siostry trafią do miasta „glamour", do wielkiego Hollywood...

Cary był szczęśliwy, kiedy Sofia została wybrana jako jego partnerka w filmie *Dom na łodzi*, jednej z najsłynniejszych, cieszących się wielkim powodzeniem *sophisticated comedies*, w której pośród różnych nieporozumień rodzi się między bohaterami uczucie, a oni gotowi są wstąpić po stopniach ołtarza, żeby po wielu przeżyciach wypowiedzieć sakramentalne „tak".

Niewielu wie, że film powstał na podstawie historii napisanej przez panią Grant numer trzy, czyli przez Betsy Drake. Między dwójką zakochanych pozostawała zawsze ta niewygodna trzecia, albo żona, albo autorka.

Nie mówiąc o tym, że był też — i to jak był — trzeci niewygodny: Carlo Ponti, który we Włoszech czuł się przyparty do

---

* „Kto by powiedział..."

muru przez *love story* między dwoma gołąbkami. Mieć za rywala pierwszego lepszego pana Rossiego to jedno, mieć jako rywala wysokiego, eleganckiego, fascynującego, słynnego i bogatego Cary'ego Cranta... to było zupełnie coś innego!

W rzeczywistości Sofia czuła, że ogarniają ją wątpliwości, z sercem wciąż zajętym przez Carla, i działo się to właśnie tam, w Hollywood, gdzie mogłaby wreszcie przyjąć propozycję małżeństwa ze strony Cary'ego, gotowego na błyskawiczny rozwód z Betsy i równie błyskawiczne małżeństwo z Sofią.

W tej sytuacji Carlo Ponti postanowił dołączyć do Sofii, wystawiając się na plotki wszędobylskich dziennikarek, dręczony zazdrością i strachem przed utratą kobiety, która wstrząsnęła jego mediolańską flegmą.

Tymczasem Maria czuła się szczęśliwa, oddając się swojej wielkiej pasji – muzyce. Uczyła się i śpiewała tak często, jak tylko mogła, aż do chwili kiedy pewnego wieczoru w Mocambo, za sprawą jednego kieliszeczka za dużo, odważyła się wykonać publicznie duet z Frankiem Sinatrą, którego po raz kolejny uderzyła brawura Marii.

Śpiewając *Fly me to the moon*, Maria zdobyła uznanie Sinatry: ich głosy zdawały się niemal złączone we wciągającym rytmie piosenki.

– Sofio, ty masz głos wyszkolony i ustawiony, ale Maria ma prawdziwy talent – powiedział Sinatra do Sofii następnego dnia i dodał: – Jestem gotów spowodować, żeby Maria studiowała śpiew na poważnie i przygotować ją do udanego debiutu. Twoja siostra *jest* śpiewaczką!

Na Sofii zrobiło to wielkie wrażenie, ponieważ Sinatra był człowiekiem oszczędnym, jeśli chodzi o komplementy.

Maria mogła zrobić nadzwyczajną karierę...

Co się wydarzyło?
Maria wróciła do Włoch.

Maria nie miała odwagi stawić czoła karierze, dzięki której mogła się wybić, a umiała również dobrze tańczyć. Brakowało jej bodźca, koncentracji, szalonego oddania koniecznego, żeby zrobić karierę.

Każdy trudny zawód, gra, taniec, śpiew, pisanie, wymaga wiary w siebie, niezależnie od poniesionych kosztów. •

Z tego powodu są ludzie o przeciętnym talencie, którzy osiągają sukces, i inni, dużo bardziej uzdolnieni, którzy gubią się gdzieś po drodze.

Tak mówiła Sofia w wywiadach, kiedy pytano ją, jak Hotchner, dlaczego jej siostra nie została w Hollywood, mając tak wyjątkowego sponsora jak Frank Sinatra – dzięki jego radom i protekcji przecież i ona mogła się stać międzynarodową gwiazdą śpiewu.

Natomiast Maria opowiada zupełnie inną historię, przepełnioną bólem, brakiem możliwości wyboru, udręką.

– Sofia zawsze myliła się w ocenie mojej osoby. Ja mam otwarty charakter i niczego się nie boję. Moja matka Romilda została sama w Rzymie i bombardowała mnie telefonami. Skarżyła się, że została sama, że może umrzeć, że jest bardzo chora.

Przypominałam sobie, że kiedy byłam mała, mama mówiła mi, że tata umarł, i dodawała zupełnie poważnie: „Płacz, płacz, mój skarbie, bo tata źle skończył". A potem mówiła, że żartowała.

Jednego dnia tata nie żył, drugiego żył, a ja nie rozumiałam, jaka jest prawda.

Pamiętam też, jak brała mnie na kolana i szeptała jak w kołysance: „Mariuccella, teraz mama musi umrzeć", a kiedy widziała, że wybucham płaczem, mówiła, że to nieprawda.

Pozostawiała mi wątpliwości, nigdy nie wiedziałam, dlaczego mi to mówiła, czy kłamstwem było, że jest chora, czy też kłamała, mówiąc, że czuje się dobrze, żeby mnie pocieszyć. Słowem, nigdy nie wiedziałam, czy to prawda, że jest umierająca, czy też nie.

Kiedy byłam w Hollywood z Sofią, płakała do słuchawki i wciąż powtarzała: „Jeśli ty też mnie opuścisz, zostanę sama. Co będzie z moim życiem, kiedy wszyscy porzucą mnie jak psa?".

Wtedy przypominałam sobie, jak w domu zaczynała trząść się od stóp do głów, budząc moje przerażenie i niepokój.

W takim udręczonym stanie ducha źle się czułam, a ona nie przestawała budzić we mnie poczucia winy, poczucia winy, poczucia winy...

Sofia miała swoją karierę, a ja myślałam: ktoś za ten sukces musi zapłacić... i wiedziałam, że to mam być ja i powinnam zostawić Sofię w spokoju, żeby mogła kontynuować swoją wspaniałą drogę, i że to ja powinnam wrócić do matki do Rzymu.

Romilda odzyskała władzę nade mną – kontynuuje Maria swoje bolesne wspomnienia. – Byłam niepewna, udręczona, cierpiałam.

Przypominałam sobie czasy, gdy jako dziecko przez rok ukrywana byłam w Rzymie w małym, wynajmowanym pokoiku w pobliżu piazza Bologna, bo kiedy mama i Sofia wychodziły w poszukiwaniu pracy, nikt nie mógł wiedzieć, że ja też jestem w pokoju, który wynajmowany był tylko dla nich dwóch.

Czasami stawałam w oknie i rzucałam kuleczkami z chleba w przechodniów, którzy podnosili głowy, żeby na mnie spojrzeć, a ja myślałam: widzicie, ja jestem, istnieję. Ja też istnieję, tu na górze.

Spędziłam wiele lat, martwiąc się, pozbawiona pewności siebie, nie pozwalając sobie na współczucie, nie pozwalając sobie na zrozumienie. Dopiero później zrozumiałam, że odpowiedź musisz znaleźć w sobie, że nie możesz od nikogo zależeć, bo nikt nie może ci dać odpowiedzi, których szukasz.

Cierpiałam tak aż do trzydziestego roku życia.

ŚLUB *PER PROCURA*

Zdjęcia do *Domu na łodzi* rozpoczęły się w sierpniu.

Sofia i Cary, wraz z pozostałymi aktorami i ekipą, pojechali do Waszyngtonu, żeby nakręcić niektóre ze scen w plenerze, między innymi te, w których uczestniczą w koncercie i następującym po nim pokazie ogni sztucznych. Zatrzymali się w hotelu Statler.

Nawet jeśli w plotkach uznano by ich za kochanków, nigdy nie znalazłoby to potwierdzenia ani z jednej, ani z drugiej strony: jeśli była to tajemnica, taką pozostała w oczach wszystkich.

Po powrocie do studiów wytwórni Paramount w Hollywood, kiedy kręcili najzabawniejsze sceny, Sofia stawała się coraz bardziej spięta. Cary dostrzegał zmianę humoru młodej kobiety, jeszcze piękniejszej – o ile to możliwe – niż w dniu kiedy zobaczył ją po raz pierwszy jako prawie nieznajomą na hiszpańskim planie *Dumy i namiętności*.

Tymczasem Carlo Ponti poczynił kroki we Włoszech i przybył pospiesznie do Hollywood, pod presją z powodu strachu, że może utracić ukochaną istotę.

Zamieszkał z Sofią w luksusowym hotelu Beverly Hills i przysłuchiwał się zazdrosny telefonom Cary'ego, który – nie przejmując się jego obecnością – dzwonił do Sofii, żeby zaprosić ją na spacer. W rzeczywistości Grant badał teren, mając nadzieję, że Sofia zmieni zdanie i przyjmie w końcu jego propozycję małżeństwa. Cary obiecywał jej wszystko, czego zapragnie: pozycję społeczną, dzieci, których tak gorąco pragnęła, a których nie mógł jej dać włoski kochanek, bajeczne klejnoty i stroje, a nawet wyprawę dookoła świata podczas cudownej, długiej, bardzo długiej podróży poślubnej.

Sofia natomiast była niespokojna, ponieważ z jednej strony nie chciałaby opuścić Carla, a z drugiej jej *love story* z przystojnym aktorem kończyła się, nie widziała bowiem dla siebie przyszłości w tym mieście, które ją przerażało i groziło zduszeniem jej kariery.

Pewnego ranka, kiedy jadła w hotelu śniadanie w towarzystwie Carla – na środku stołu nakrytego białym lnianym obrusem stał wazon z czerwoną różą, obok srebrny dzbanek z amerykańską kawą i tosty z marmoladą – kęs jedzenia stanął jej dosłownie w gardle.

Sofia czytała „Herald Express", kiedy jej spojrzenie padło na rubrykę prowadzoną przez Louellę Parsons.

Słowa uderzyły w nią niczym odłamki: „Sophia Loren i włoski producent Carlo Ponti pobrali się zeszłej nocy *per procura* w Meksyku. Ślub w obecności sędziego celebrowali dwaj adwokaci wynajęci przez Pontiego. Ten, który reprezentował zmysłową Sophię Loren, miał brodę i wąsy".

W ciągu kilku tygodni, i to w Meksyku, Ponti dostał rozwód od żony Giuliany Fiastri, która pozostawała z nim w związku małżeńskim przez jedenaście lat.

Jak bardzo Sofia tego pragnęła! Ale dowiedzieć się o własnym ślubie, który nastąpił po rozwodzie, z zadrukowanych linijek gazety? To był dla niej prawdziwy wstrząs.

W Ameryce nie akceptuje się pary, która żyje ze sobą bez ślubu, dlatego ja i Carlo próbowaliśmy to ukrywać i żyć trochę spokojniej.

Ja i Carlo w naszych sercach byliśmy już żoną i mężem. Łączyła nas wielka namiętność, dlatego tamte słowa Louelli Parsons nie oddawały nam sprawiedliwości.

Nowożeńcy z Meksyku nie mieli żadnej uroczystej ceremonii, nie było sukni ślubnej, nie było podróży poślubnej. Ponti i Sofia uczcili wydarzenie kolacją przy świecach i właśnie przy tej okazji Carlo obiecał jej solennie, że – aby wynagrodzić jej ten biurokratyczny akt – będzie żyła jak królowa w „najpiękniejszym domu na świecie", w rezydencji godnej jej urody i miłości.

Nie była to obietnica rzucona na wiatr. W 1957 roku Ponti kupił jedną z najpiękniejszych willi w Marino, z historią sięgającą czasów rzymskich. Domostwo wyrastało po części na starożytnych katakumbach, a ogromne salony o niezwykle wysokich sufitach miały ściany ozdobione freskami, niestety w bardzo złym stanie, przedstawiającymi sceny bukoliczne.

Wyremontowanie i godne urządzenie tej starej siedziby wymagało lat i milionowych inwestycji. Ale to był ten najpiękniejszy dom na świecie, który miał ofiarować najpiękniejszej na świecie istocie.

Rubrykę Louelli Parsons, odsłaniającej skrywaną prawdę o ślubie *per procura*, przeczytał też oczywiście biedny Cary Grant.

Reżyser *Domu na łodzi* miał trudne zadanie uspokojenia gniewu flegmatycznego Granta, który po raz pierwszy wpadał w złość, krytykując światła, scenariusz, reżyserię, kostiumy, cały świat. Wszystko wydawało mu się iść nie tak i prawdę mówiąc, miał powody, żeby tak bardzo cierpieć.

Sophia Loren w roli Cinzii miała na sobie najpiękniejszą suknię ślubną z białej makramy, o jakiej mogła śnić. W makijażu wykonanym do sceny ślubu z Carym nie mogła wyglądać piękniej. Grant mógłby dostać Oscara za *fair play*, z jakim zagrał swoje „tak", stojąc przed ołtarzem z Sofią.

Hollywood, królestwo fikcji, jest trochę jak Toontown z *Kto wrobił Królika Rogera?*, gdzie udawany uśmiech pokrywa prawdziwe łzy.

W rzeczywistości zaś Sofia była wreszcie poślubiona Carlowi Pontiemu.

Jej długotrwałe marzenie, żeby zostać żoną mężczyzny, który był dla niej ojcem i kochankiem, wreszcie się spełniło.

Jeśli to prawda, że nie można mieć w życiu wszystkiego, odnosi się to również do Sofii Scicolone: cudowna suknia ślubna, w której stała przed ołtarzem z Grantem, była tą wymarzoną w dzieciństwie, choć nie pierwszą. Miała już na sobie białą i długą suknię, uszytą przez neapolitańskiego krawca – potem wytoczył jej on sprawę za reklamę, na którą nie wyraził zgody.

Sofii nakładały się wspomnienia: pierścionek zaręczynowy dostała w wieku dziewiętnastu lat od mężczyzny żonatego z inną kobietą. Po latach „tak" powiedział w jej imieniu adwokat z wąsami.

Szczęście nie mogło jednak zostać naruszone przez takie *błahostki*, jak powiedziałby książę De Curtis, czyli szczodry Totò, który podarował małej Sofii pierwsze sto tysięcy lirów.

Z RAJU DO PIEKŁA

W przestronnej sypialni w apartamencie hotelu Beverly Hills Sofia puszyła się przed lustrem, które zajmowało całą ścianę i odbijało połyskującą obrączkę ślubną podarowaną jej przez Carla.

Chciała, żeby była z żółtego złota, a nie z diamentów, bo właśnie o takiej zawsze marzyła i właśnie taka wydawała się jej nieosiągalna przez dziewięć lat ich związku.

Taka, jaką widywała przez tyle lat na zniszczonej dłoni babci Luisy, kiedy krzątała się wesoła i czule uśmiechnięta po kuchni, rozniecając ogień słomianym wachlarzem i czuwała nad gotującą się zupą rybną, a tymczasem Sofia i Maria bawiły się, wchodząc na stół, jakby to była miniaturowa scena.

Taka, jakiej Romilda nigdy nie miała prawa włożyć, żeby nazywano ją panią Scicolone.

Sofia chciała teraz, żeby każdy poza planem nazywał ją „signora Ponti", ponieważ na planie filmowym była zawsze Miss

Loren. Choć meksykański ślub nie odpowiadał jej dziewczęcym marzeniom, i tak czuła się jak w raju.

Nie wyobrażała sobie jeszcze, do jakiego piekła zostaną wkrótce zepchnięci ona i Carlo Ponti.

Po zakończeniu zdjęć do *Domu na łodzi* Cary'emu powierzono obowiązki z dala od Hollywood, natomiast Sofia otrzymała propozycję nakręcenia w Pinewood Studios w Anglii filmu *Klucz*, u boku innego prestiżowego partnera – Williama Holdena, który kilka lat wcześniej miał romans z dużo młodszą od siebie Grace Kelly.

Jednak jego sława znakomitego aktora i uwodziciela pomagała publiczności zapomnieć, że Holden skończył już trzydzieści dziewięć lat, gdy tymczasem Sofia miała zaledwie dwadzieścia cztery.

Właśnie młody wiek stał się przeszkodą dla jej udziału w tym przedsięwzięciu, ponieważ reżyser Carol Reed i producent wykonawczy Carl Foreman odkryli nagle, że „stary Holden" i Loren mogą się wydać śmieszni w scenach miłosnych z powodu różnicy wieku. Za dużo właściwszą uznali Ingrid Bergman.

W rzeczywistości Sofia była żoną mężczyzny dużo starszego od Holdena i na pewno taka przeszkoda nie mogłaby jej przekonać do wycofania się z projektu.

Sofii podobał się temat zaczerpnięty z powieści Jana de Hartoga *Stella*, więc odmówiła zrezygnowania z kontraktu. Była to dramatyczna historia wdowy żyjącej w czasie wojny i Sofia, która miała dobrą intuicję, czuła, że rola stanie się zwrotem w jej karierze. Nie będzie już chodziło tylko o ciało, o sex symbol, ale o twarz, na której odbiją się emocje i cierpienia zwykłej kobiety.

Sam Carlo Ponti miał wątpliwości co do jej udziału, wydawało mu się, że rola jest zbyt odległa od seksownego wizerunku Sofii, potwierdzonego przez sukces.

Walka między aktorką a reżyserem Carolem Reedem była początkowo dosyć twarda, ponieważ nie chciała ona próbować jak inni aktorzy swoich kwestii i ruchów w sali prób pod jego nadzorem.

Sofia naprawdę staje się jednością ze swoją postacią, którą głęboko czuje. Wypracowała całkowicie własną metodę gry.

Nie jestem aktorką, gram instynktownie. Przychodzę na plan i jestem już przygotowana, ponieważ mam w sobie mój świat, czasami wstrząsający.

W końcu Sofia dopięła swego. Carol Reed zgodził się, żeby przygotowywała się sama, nie odbywając prób z resztą obsady, i miał rację, że jej zaufał. Interpretacja Sofii została szczególnie doceniona przez krytykę i odniosła sukces, który wzniósł jej karierę na zupełnie inny poziom artystyczny.

Natomiast w Hollywood, z zupełnie innych powodów, atmosfera się zagęściła.

Najbliżsi przyjaciele Cary'ego Granta względnie cicho, ale z niepokojem śledzili rozwój jego *love story* z Sofią, co w ich oczach wyglądało na szaleństwo, a wręcz konsekwencję andropauzy, jak jakiś czas potem stwierdził – z odrobiną złośliwości – Frederick Brisson, mąż Rosalind Russell, niezapomnianej bohaterki *Ciotki Mame*.

Prasa nie zrozumiała powagi miłości Granta do Loren i nie publikowała na ten temat żadnych plotek ani domysłów.

Ponti, uznawany za oficjalnego towarzysza życia włoskiej gwiazdy, ze swej strony od dawna badał możliwość poślubienia Sofii i dlatego szukał porady u adwokatów różnych narodowości, nie zadowalając się ich negatywnymi opiniami. Nigdy nie stracił nadziei, że za którymś razem znajdzie rozwiązanie dla małżeństwa, które wydawało się niemożliwe. Podjął taką próbę również podczas jednej z podróży do Szwajcarii i sprawa przedostała się do plotkarskich rubryk amerykańskich gazet.

Zresztą w oczach świata stosunki Cary'ego z żoną Betsy jawiły się jako napięte, ale nie wydawał się on tak bliski decyzji o rozwodzie i gotowy do czwartego, przedostatniego małżeństwa, które zawarł wiele lat później, w 1965 roku, z Dyan Cannon, matką jego jedynej córki Jennifer.

Przeciwnie – bliscy przyjaciele, którzy znali prawdę, zastanawiali się, jak Sofia mogła być tak okrutna, łudząc Granta, że go uwielbia.

Odpowiedź nie była łatwa dla kogoś o mentalności tak bardzo odmiennej od włoskiej. W istocie, jeśli wcześniej purytańskie Hollywood nie akceptowało zakazanego związku Sofii i Pontiego, teraz z całą naturalnością przyjmowało ślub w Meksyku.

We Włoszech natomiast podniósł się rwetes.

„L'Osservatore Romano" w wydaniu niedzielnym, tym najczęściej czytanym przez rzymskich katolików, zaatakował Pontiego, ożenionego w kościele i prawnie z Giulianą Fiastri, określając małżeństwo meksykańskie jako akt całkowicie nielegalny. Dziennik oskarżył Sophię Loren i Carla Pontiego o to, że są publicznymi grzesznikami. Poza potępieniem moralnym dodali, że nie będą już mogli przyjmować sakramentów. Według oficjalnego watykańskiego organu państwo Ponti byli konkubentami i ryzykowali wręcz ekskomuniką.

Sofia została wychowana zgodnie z tradycją katolicką, była u komunii, wierzyła w spowiedź, więc oskarżenia ze strony watykańskiego dziennika odebrały jej sen. Radość ze ślubu zamieniła się w koszmar.

Carlo próbował ją pocieszyć, mówiąc, że z czasem wszystko się ułoży. W rzeczywistości cierpiał mniej niż Sofia, ponieważ przez lata nauczył się, iż jego życie zależy od czegoś innego niż osąd moralny ludzi, również dlatego, że jego poglądy polityczne nie były zbieżne z przekonaniami większości Włochów głosujących na chrześcijańską demokrację.

Większym zmartwieniem dla Pontiego było w istocie to, że ewentualne oskarżenie o bigamię i ekskomunika mogłyby zaszkodzić jego interesom.

Żeby nie pogarszać sytuacji, Carlo powtarzał Sofii, że dowodem jego intencji nieprzeciwstawiania się Kościołowi była kosztowna i niestety pozbawiona nadziei próba stwierdzenia nieważności przez trybunał Świętej Roty ślubu kościelnego z Giulianą. Żadna próba pocieszenia Sofii nie osiągała jednak zamierzonego efektu.

Sofia źle przyjmowała opinie, które pojawiały się w ojczystej prasie. Na nowo przeżywała wszystkie minione cierpienia, upokorzenia córki niezamężnej matki. Wydawało jej się, że wróciła do czasów, kiedy jako młodziutka dziewczyna musiała wraz z matką stawić się na policji z powodu doniesienia ojca, żeby udowodnić, iż nie parają się prostytucją. Wciąż jeszcze czuła na skórze ów straszliwy, niezasłużony wstyd.

Jej klaustrofobia nasiliła się i często budziła się w nocy, krzycząc, jakby znów była na Saharze, gdzie omal nie umarła.

Jedynym pocieszeniem, jeśli można tak to nazwać, było dyskretne i pełne rezerwy zachowanie Giuliany Fiastri, matki młodziutkich Guendaliny i Alessandra Pontich, która nie udzielała wywiadów i nie próbowała zdyskredytować nieprawnej pary małżonków. Ona także, wbrew własnej woli, wystawiona była na ciekawość milionów czytelników na całym świecie.

Żona Carla, godna córka generała, była nadzwyczajną kobietą, jeśli chodzi o jej zrozumienie i otwartość.

Nigdy nie przestanę jej szanować za to, jak zachowywała się podczas trudnych lat, które towarzyszyły moim i Carla próbom zawarcia małżeństwa.

Jej powściągliwość, jej klasa, były chwalebne.

Napięcie nerwowe państwa Pontich sięgało jednak zenitu. Nietrudno sobie wyobrazić, jak ciężko było mierzyć się z dochodzącymi z Włoch niepokojącymi wieściami i ciągłymi zaczepkami prasy, która pytała ich, jak to jest być potępionym przez Kościół katolicki jako publiczni grzesznicy.

Sofia od dziecka była zamknięta w sobie i małomówna. Mówi o tym Maria, kiedy wspomina nieśmiałą, a w rzeczywistości refleksyjną postawę siostry, zarówno w szkole w stosunku do kolegów, jak i podczas zabaw, do których włączała się z ociąganiem, bo najpierw wolała przyjrzeć się dobrze zachowaniu innych dzieci.

W atmosferze oskarżeń, które wciąż mnożyły się wokół ich meksykańskiego ślubu, Sofia stała się jeszcze bardziej niechętna udzielaniu wypowiedzi prasie. Na pytania dziennikarzy odpowiadała krótko, albo wręcz – tak często jak to możliwe – uciekała się do formułki *no comment*.

Również Carlo Ponti, pod maską zwyczajowej uprzejmości i samokontroli, odczuwał napięcie tamtych dni. Być może zastanawiał się, czy właściwe było wdawać się w tak skomplikowaną przygodę, kosztowną i szkodliwą, jak małżeństwo z miłości z kobietą choćby nawet kochaną, piękną i sławną. Może wściekał się poniewczasie z powodu wcześniejszej zazdrości wobec Granta, elegancika z Hollywood, tak sławnego, że stał się dla Fleminga inspiracją dla stworzenia postaci Jamesa Bonda.

Fakt, że w owym czasie Ponti musiał mieć nerwy jak postronki, potwierdza epizod opowiedziany przez samą Sofię. Lecieli samolotem i ona wygłosiła komentarz na temat jedzenia podawanego na pokładzie, który Pontiemu się nie spodobał. Sofia, zmęczona i zestresowana wydarzeniami, nie kontrolowała swoich słów, które całkiem niewspółmiernie zirytowały producenta. Ponti odwrócił się do niej i wymierzył jej policzek. Trzask uderzenia zadudnił w uszach Sofii tak silnie, że niemal ją ogłuszył.

Po raz pierwszy, mówi Sofia, Ponti miał wówczas tak gwałtowny wybuch gniewu, że posunął się aż do przemocy fizycznej.

Z powodu siły uderzenia Sofia jeszcze przez jakiś czas nosiła na policzku ślady pięciu palców Pontiego.

Najtrudniejszym jednak do zmazania śladem był dla jej sumienia ból wywołany potępieniem przez Kościół.

Z odległej przeszłości wyłoniło się wspomnienie zdarzenia, które opowiedziały jej niegdyś *mammà* Luisa i Romilda.

Kiedy matka była z nią w ciąży, babcia próbowała nakłonić opornego Riccarda do ślubu. On usiłował się jakoś wymigać, ale kiedy wreszcie ustąpił, odkrył w swoich papierach, że nie może ożenić się z Romildą w kościele, bo nie był bierzmowany.

Babcia Luisa nie upadła na duchu i przedstawiła mu hiszpańskojęzycznego księdza, który mógł go po odpowiednim przygotowaniu bierzmować. Podczas spowiedzi jeden mówił po włosku, a drugi po łacinie – a ponieważ wzajemnie się nie rozumieli, kapłan obraził się nagle z powodu czegoś, co powiedział Riccardo. W mało chrześcijański sposób opuścił konfesjonał, pozwalając w ten sposób narzeczonemu i ojcu, który już nie miał na to najmniejszej ochoty, definitywnie uniknąć małżeństwa, pod pretekstem, że odmówiono mu bierzmowania...

Babcia Luisa oskarżyła Riccarda o celowe wywołanie gniewu księdza, żeby nie ożenić się z Romildą.

Dla Sofii oskarżenia „L'Osservatore Romano" były znakiem przeznaczenia: między Scicolone, ojcem i córką, a Kościołem nie istniała możliwość porozumienia.

DONIESIENIE PANI BRAMBILLI

Skandal związany ze ślubem zawartym w Meksyku wciąż pozostawał w centrum zainteresowania międzynarodowej prasy. W kierunku Carla Pontiego i Sophii Loren poszybowały strzały mieszczańskich tradycjonalistów i przestało już chodzić tylko o artykuły, plotki czy złośliwe docinki, ale pojawiło się prawdziwe doniesienie o bigamii przeciwko Pontiemu, złożone przez pewną kobietę – Luisę Brambillę, która tłumaczyła swój gest, mówiąc, że poczuła się w obowiązku bronić instytucji małżeństwa, zagrożonej przez negatywny przykład, jaki dawał Włochom producent.

W wyniku tego doniesienia wszczęte zostało postępowanie sądowe.

Bigamia była przestępstwem, uwzględnionym w paragrafie 556 kodeksu karnego, który przewidywał karę więzienia od roku do pięciu lat.

Jeszcze większą przykrość, jeśli to możliwe, sprawił Sofii list kilku kobiet z Pozzuoli, które potępiały ją moralnie. Właśnie z Pozzuoli, jej rodzinnego miasta, jej najukochańszej ziemi, pochodził głos grupy kobiet, po których spodziewałaby się solidarności w tak trudnej dla niej chwili. Były to kobiety, które być może poznała jako dziewczynka, kobiety, które jak ona cierpiały koszmar wojny, głód i strach przed bombami.

Gdzie było – zastanawiała się Sofia – gdzie podziało się ich wsparcie? Gdzie podział się ich duch macierzyński, ich duch braterstwa?

Ból wywołany doniesieniem i atakami w najpoczytniejszych włoskich gazetach, jak „Oggi" czy „Gente", nie złamał Sofii, lecz dał jej siłę do walki i podniesienia głowy, uczynił gotową z tą samą co zawsze energią podjąć rękawicę.

Pod swoimi bujnymi kształtami, symbolem zmysłowej kobiecości, Sofia zawsze kryła charakter, który można by określić jako męski – ale niesłusznie, bo ten rodzaj siły posiadają również kobiety, przede wszystkim matki, kiedy reagują w rozpaczy.

Charakter Sofii ukształtował się za sprawą wyzwań, które los i kariera zawsze przed nią stawiały, do tego stopnia, że jej matka Romilda powiedziała wręcz, iż w prawdziwym życiu to Sofia była jej matką, a ona córką.

Silna reakcja ukochanej kobiety, bez publicznego okazywania łez, pomogła również Carlowi zmierzyć się z trudną sytuacją. Para spotkała się także z potępieniem rzymskiej Ligi moralności katolickiej: Ponti i Loren byli bigamistami i publicznymi cudzołożnikami. Litera A*, odciśnięta na ubraniach cudzołożnic w XVII wieku, była koszmarem, który prześladował Sofię w jej niespokojnych snach.

Podczas gdy w życiu Ponti i Sofia musieli zachowywać się jak wygnańcy, ponieważ gdyby postawili nogę we Włoszech, groziło

---

* Po włosku cudzołożnica to *adultera* (z łac.).

im aresztowanie, międzynarodowa kariera aktorki wciąż się rozwijała, a propozycje kontraktów były wręcz zbyt liczne.

Wytwórnia Paramount, wraz z producentami Pontim i Girosim, wybierała dla Loren partnerów spośród aktorów najbardziej lubianych przez młodą publiczność, jak brunet Anthony Perkins czy blondyn – prześliczny Tab I Iunter, których agenci prasowi z trudem ukrywali ich homoseksualizm.

Jednak po raz kolejny stanął u jej boku w filmie, który miał osiągnąć wielki sukces – w *Czarnej orchidei* – dojrzały partner: Anthony Quinn, znakomity aktor, który zagrał wcześniej postać Zampanò w filmie *La strada* Felliniego.

Mimo wspomnienia odpychającego pocałunku Quinna w roli barbarzyńcy Attyli, tego z kawałkiem udźca jagnięcego w ustach, jaki zafundował debiutantce „z polecenia", aktor pozostawał jednym z ulubionych przez Pontiego i Girosiego partnerów dla Sofii. W *Czarnej orchidei* znów grała wdowę, tym razem po gangsterze. Rolę, która wymagała zdolności dramatycznych, tak jak w *Kluczu*.

Za sprawą daru przewidywania, który ją charakteryzował, podobnie jak babcię Luisę, spełniało się to, co zawsze przepowiadała: jeśli los dawał jej jakąś radość, coś jej odbierał, i *vice versa*.

To, że Sofia posiada nadzwyczajne zdolności przewidywania, znajduje potwierdzenie w wielu epizodach. Jedno takie przeczucie uratowało jej życie, a stało się to przy okazji zaproszenia na Wielki Bal w Brukseli.

Dzień przed wyjazdem Sofię ogarnął niepowstrzymany niepokój, jakby miało się zdarzyć jakieś nieszczęście. Nie była w stanie go pokonać i odmówiła podróży samolotem, a żeby zastąpić ją na balu, wsiadła do niego przepiękna, zielonooka Miss Italia Marcella Mariani, która zagrała w *Zmysłach* obok Alidy Valli i Farleya

Grangera. W drodze powrotnej z Brukseli samolot, na którego pokładzie była Mariani, spadł i wszyscy pasażerowie zginęli.

Takie przeplatanie się radości i cierpienia sprawdzało się również w okresie realizacji *Klucza*, filmu, który miał odnieść wielki sukces w Anglii i w Ameryce.

Jeśli we Włoszech pewna pani Brambilla zadenuncjowała Carla Pontiego z powodu bigamii, w Anglii sprawy miały się dużo lepiej: na uroczystej projekcji *Mostu na rzece Kwai* królowa Elżbieta po raz drugi pogratulowała Sophii Loren, zapraszając ją do swego grona wraz z Trevorem Howardem, Williamem Holdenem i innymi znakomitościami.

To zaproszenie do Royal Film Performance mogło oznaczać dla aktorki rehabilitację za gafę, jaką popełniła kilka lat wcześniej. Owo niezatarte wspomnienie dziś wywołuje uśmiech na ustach Sophii Loren, ale wówczas przysporzyło jej wielu nieprzyjemności.

Wraz z innymi ważnymi aktorami, wśród których znalazła się również Gina Lollobrigida, Sofia została zaproszona po raz pierwszy do Londynu, do Teatro Tivoli, przy dostojnej obecności Elżbiety II.

Przygotowania pięknej Włoszki do tego wydarzenia trwały kilka dni. Uczyła się też ukłonu pod nadzorem członka zespołu królewskiego dworu. Suknia była niezwykle elegancka, kupione przez Carla klejnoty godne okazji. Kiedy nadszedł wyznaczony dzień, makijaż wymagał dużych starań, szczególnie zaś fryzura — bardzo skomplikowana, wzbogacona tupetem, jak to było wówczas w modzie, czyniąca Sofię jeszcze wyższą i majestatyczną.

Ostatnim akcentem była diamentowa korona, umieszczona, a raczej umocowana u szczytu fryzury. W ostatniej chwili otoczenie Sofii dowiedziało się z przerażeniem, że koronę w obecności

Jej Wysokości Elżbiety Angielskiej mógł nosić tylko ktoś, kto naprawdę był królową.

Sofia opowiadała, że należało wybrać: albo pójść na to prestiżowe, niepowtarzalne wydarzenie w koronie, albo zrezygnować z niego, ponieważ trzeba by było zepsuć misterną fryzurę, a to wymagało zbyt wiele czasu i spowodowałoby niedopuszczalne spóźnienie.

Nazajutrz prasa ukazała się z tytułami zajmującymi całą pierwszą stronę dzienników: wszystkie mówiły o złamanej dworskiej etykiecie i o skandalu dwóch koron. *England now has two Queens* – Anglia ma teraz dwie Królowe, Elżbietę i Sophię Loren, obwieszczały ironicznie tabloidy.

Maria Scicolone wspomina, że Elżbieta, z klasą godną swojej rangi, nie zirytowała się na widok diamentowej korony i przyjęła ukłon Sofii z uprzejmym uśmiechem.

ŁZY ORCHIDEI

Ponti obiecał Sofii, że zamieszka w najpiękniejszym domu świata.

To oczywiście słowa zakochanego mężczyzny, wypowiedziane jako dar ślubny, kiedy on i Sofia z rubryki Louelli Parsons dowiedzieli się, że zostali mężem i żoną *per procura*.

Mieli nigdy nie zapomnieć pierwszej nocy, którą uczcili w hotelu Beverly Hills kolacją przy świecach. Podróż poślubna nie trwała rok i nie była wyprawą dookoła świata, jak deklarował Cary Grant, kiedy prosił Sofię o rękę, nie były to też dwa miesiące rejsu z dala od interesów, o czym marzyli Carlo i Sofia.

Ciężar oskarżenia o bigamię i przymusowe wygnanie z Włoch ze strachu przed aresztowaniem sprawiały, że najpiękniejszym domem na świecie byłby dla Sofii skromny dom dwojga legalnych małżonków. Ale Carlo Ponti nie był mężczyzną romantycznym i kiedy jego głęboki głos coś mówił, nie były to nigdy przypadkowe słowa rzucane na wiatr. Ponti kochał piękne rzeczy, również jeśli chodzi o dzieła literackie i artystyczne: wybierał lekturę wielkich pisarzy, lubił autorów rosyjskich, Tołstoja i Dostojewskiego, znał historię sztuki i był wyrafinowanym koneserem sztuki nowoczesnej i współczesnej.

Jego smykałka do interesów nie ograniczała się wyłącznie do produkcji kasowych filmów, posiadał ją także do zakupów dzieł sztuki i w istocie, na początku lat sześćdziesiątych, jego kolekcja obrazów była wyjątkowo bogata, obejmowała twórczość od Morandiego do Bacona, nie gardząc arcydziełami przeszłości.

Przywykły do wydawania poleceń, mógł się wydawać chłodny i obojętny i cechy te czyniły go niebezpiecznym dla przeciwników, jednak w obliczu dzieła sztuki okazywał prawdziwe emocje.

Rozmiary dzieła nie były istotne, mógł to być wyszukany klejnot albo suknia zaprojektowana przez wielkiego krawca. To Ponti sprawował pieczę na garderobą żony, bogatą w firmowe stroje, jak mogła stwierdzić słynna projektantka kostiumów Edith Head, otwierając szafy Sofii, żeby znaleźć inspirację do *Domu na łodzi*.

– Myślałam, żeby ubrać Cinzię, graną przez nią postać dziewczyny żywiołowej i trochę zepsutej, w dżinsy i bluzeczkę – opowiadała Edith w jednym z wywiadów – ale Miss Loren pokazała mi swoją garderobę, pełną ubrań najsłynniejszych europejskich krawców, i powiedziała, że nigdy nie miała na sobie dżinsów.

Carlo nie kolekcjonował wyłącznie dzieł sztuki.

Kochał, co oczywiste, także piękne kobiety z krwi i kości. Poślubił elegancką Giulianę, kiedy był już uznanym producentem, który wylansował przepiękne aktorki, jak pochodzącą z Istrii Alidę Valli w *Dawnym świtku*.

W niektórych z nich nawet się zakochał. Nie był jednak mężczyzną wiecznie głodnym niewieścich wdzięków i łotrem takim jak Riccardo Scicolone, wciąż poszukującym łatwych przygód.

Ponti miał wyrafinowanie kolekcjonera również przy wyborze kochanek. Jeśli w jego dalekiej i niedawnej przeszłości były nazwiska kobiet, które modelował pod względem fizycznym i dzięki swoim wpływom czynił aktorkami, to w wypadku Sofii miłość i wzajemny szacunek umocniły natychmiastowy pociąg, jaki on – człowiek potężny i ekspert – poczuł, kiedy poznał tę pełną świeżości, ledwie piętnastoletnią dziewczynkę.

Czarna orchidea spotkała się z przychylnością krytyki. Sofia wydała się wiarygodna w dramatycznej roli matki – Rosy Bianco, wdowy po mafiosie, poproszonej o rękę przez Anthony'ego Quinna i zwalczanej przez jego córkę. Film reżyserował Martin Ritt i widział ją ubraną zawsze na czarno, w nieustającej żałobie i kłopotach.

W owym czasie nastąpiło coś w rodzaju pojednania między Riccardem Scicolonem i Romildą Villani. Tym razem to jego żona Nella została opuszczona, a wraz z nią dwaj ich synowie.

Riccardo odkrył po raz trzeci, że pociąga go Romilda, i według kronik z tamtych lat przeniósł się do eleganckiego rzymskiego domu, o którego urządzenie dla matki i siostry zadbała Sofia.

Natomiast wersja wydarzeń przedstawiona przez Marię jest całkiem inna. To prawda, że rodzice spotykali się w mieszkaniu Romildy, ale ojciec wychodził stamtąd każdego wieczoru po kolacji i obejrzeniu telewizji, co było wówczas luksusem, na który mogły sobie pozwolić tylko zamożne osoby.

– Ojciec był pierwszym mężczyzną, którego chciałam zdobyć – wyznaje Maria głosem wciąż jeszcze wzruszonym od dawnych, bolesnych wspomnień. – Chciałam zrozumieć, dlaczego tak z nami postąpił, z moją matką Romildą, porzucając ją; z Sofią, nigdy nie będąc dla niej ojcem; ze mną, której nie chciał uznać za córkę przez tyle lat.

Maria ze wszystkich sił próbowała przebić się przez skorupę człowieka, który zawsze zachowywał się jak egoista. Z benedyktyńską cierpliwością, przyjmując jego odmowy, ale wciąż ponawiając prośby, wyznaczyła mu pierwsze spotkanie przed pocztą na piazza Bologna, w miejscu gdzie zaczęła się cała historia rodziny Scicolone.

Młodziutka i już dosyć znana Sofia bywała w tej dzielnicy i jeszcze dzisiaj są tacy, którzy pamiętają, jak w jednym z barów przy viale XXI Aprile, alei wychodzącej na piazza Bologna, została zablokowana przez tłum pierwszorocznych studentów. Wszystkim postawiła hojnie cappuccino, a oni darli się porwani entuzjazmem z powodu spotkania z seksbombą, którą mieli na wyciągnięcie ręki.

Maria powoli zbliżyła się do ojca, do tego człowieka, o którym Sofia dziś jeszcze mówi, że nie może go uznać nawet za przyjaciela.

Istnieje kilka zdjęć, które przedstawiają rodzinę wreszcie połączoną: elegancko ubrany Riccardo, siedzący obok Romildy i Marii w futrach – znak zgody, która wydawała się nieosiągalna. On wciąż jest czarującym mężczyzną, z takim samym wydatnym nosem i zmysłowymi ustami, które charakterystyczne są dla twarzy Loren.

Tymczasem Riccardo, z poparciem Romildy, uporczywie proponował Sofii, że zostanie jedynym zarządcą jej fortuny, obiecując, iż zainwestuje zarobione przez nią pieniądze lepiej, niż to czynił Ponti.

Sofia powstrzymała się od przyjęcia tej propozycji, wywołując w ten sposób negatywną reakcję również ze strony matki. Była przewidująca, nie powierzając majątku ojcu, ponieważ pokój zawarty między rodzicami nie był ostateczny, a ich kłótnie stawały się coraz gwałtowniejsze.

Była to nieustanna szarpanina, tak jakby ich przeznaczeniem było ciągłe życie w ogniach piekielnych, których ich namiętność nie była w stanie ugasić.

Za te awantury, za tę atmosferę nie do zniesienia, cenę znów płaciła Maria, która opowiadała, jak matka ją dręczyła, czy raczej prześladowała, robiąc jej wyrzuty nawet kiedy – według niej – Maria wracała za późno od fryzjera, albo na zbyt długo zamykała się w łazience: – Ciągle zostawiasz mnie samą – mówiła do niej przez drzwi.

W tamtym okresie w życiu Marii pojawiała się miłość o kłopotliwym nazwisku: Romano Mussolini.

Tymczasem Riccardo, po trzech latach spędzonych na huśtawce kłótni i godzenia się, nie znalazł lepszego wyjścia niż po raz kolejny wyprowadzić się z domu. Poznał piękną i młodą niemiecką modelkę, w której się zakochał i zamieszkał z nią.

Przez całe życie Riccarda Scicolonego Maria zachowywała wobec niego postawę wybaczającą, a wręcz opiekuńczą, tkając cierpliwie pajęczynę rodzinnej więzi, która wciąż się jednak rwała.

Jej zachowanie doprowadziło do ponownego zbliżenia między Riccardem a Romildą, która zniosła wiele zniewag, to znaczy podwójne porzucenie, małżeństwo z Nellą Rivoltą, narodziny dwóch synów, obraźliwe donosy i opłacone uznanie ojcostwa, odwołane potem przez Riccarda w sądzie.

Pojednanie było w każdym razie czymś pozytywnym, choć nie doszło do niego wyłącznie dzięki sukcesom Sofii, a nie zakończyło się na pewno z winy Marii.

Maria i Sofia odgrywały zawsze wobec ojca inne role i zajmowały rozbieżne stanowiska. Postępowanie Marii, tak bardzo wytrwałe, mogło doprowadzić do ochłodzenia stosunków między siostrami.

Tymczasem przeciwnie – uczucie między nimi jest silniejsze, niż można sobie wyobrazić, uczucie, na które składa się zrozumienie, solidarność i poufałość, choć w niektórych zdaniach napisanych przez Marię kryje się delikatna, zadawniona melancholia: „Dziś jeszcze jest to kobieta, która mi umyka, a mnie trudno jest umknąć. A jednak jest w Sofii coś, czego nie potrafię uchwycić. Po tylu latach. To tajemnicza kobieta, zachowująca milczenie, udzielająca rzadkich, czasem bardzo ciętych odpowiedzi. Ale jest dobra, nadspodziewanie krucha".

Zróbmy zatem krok wstecz. Riccardo raz jeszcze zaciągnął córkę do sądu.

Pewna niemiecka gazeta opublikowała wywiad z Sofią, w którym twierdziła ona, że jako dziecko i nastolatka nie miała żadnego wsparcia ze strony ojca, „nawet pary butów".

Scicolone pozwał ją, bo wywiadem tym zaszkodziła jego wizerunkowi czułego ojca. Przysiągł oczywiście przed sędzią, że córka skłamała, rzucając na niego tę potwarz, choć była to szczera prawda.

Sprawa nie przyniosła takiego rezultatu, na jaki liczył Scicolone, ale Sofia po raz kolejny cierpiała, wylewając łzy, a przecież nie chciała już nigdy płakać z powodu ojca. Raz jeszcze Riccardo nie zawahał się i zachował jak wróg, nie szukając innego porozumienia poza finansowym, rezygnując z odbudowania prawdziwej, choć spóźnionej, więzi uczuciowej.

CLARK GABLE

Jest taki film, kultowy dla milionów widzów, pokazywany jeszcze dziś w wielu stacjach telewizyjnych. Film, który wzrusza zarówno młodych, jak i tych, którzy widzieli go już dziesięć razy. Wyprodukowany w 1939 roku przez Davida O. Selznicka obraz to historia oparta na powieści-rzece Margaret Mitchell, a jej bohaterką jest jedna z najbardziej lubianych postaci kobiecych – przepiękna i kapryśna Scarlett O'Hara, grana przez Vivien Leigh.

„Jutro też jest dzień": która młoda kobieta nie wypowiedziała nigdy słynnego zdania Scarlett, żeby przetrwać codzienne kłopoty? Oczywiście nie wszystkie mają u boku Rhetta Butlera, lubiącego przygody dżentelmena, wysokiego, przystojnego, z uwodzicielskim wąsikiem.

Kiedy zaproponowano Sofii nakręcenie filmu z bohaterem *Przeminęło z wiatrem*, była zachwycona. Dla niej Clark Gable pozostał owym fascynującym łotrem Butlerem, choć teraz miał dwadzieścia lat więcej.

Film nosił tytuł *Zaczęło się w Neapolu* i miał być kręcony na Capri, co budziło w pani Loren obawy z uwagi na reakcje prasy i ludzi w związku z jej życiem prywatnym.

Historia była prosta i zabawna. Sofia miała też zaśpiewać w jednej ze scen przebrana za uczennicę w kontraście do jej wybujałej fizyczności, a Gable miał być Amerykaninem, który traci głowę dla cudownej neapolitańskiej *scugnizza**. W filmie miał też wyglądać na raczej tęgiego, również z winy gotowanego przez nią spaghetti, na które był łasy, wciąż jednak pozostawał gwiazdorem dodającym prestiżu karierze Loren.

W rzeczywistości Gable był niewiele starszy od Cary'ego Granta, ale widać było po nim upływ czasu. Był za to osobą sympatyczną i otwartą, poza jednym szczegółem. Gable nosił na ręce zegarek z alarmem, który zawiadamiał go, kiedy kończył się jego dzień pracy. Rozbawiona Sofia opowiada, że nawet kiedy kręcił scenę pocałunku, niczym robotnik posłuszny związkom zawodowym, na dźwięk dzwonka „przerywał" i przestawał ją całować.

„Jutro też jest dzień", zdawał się mówić Clark, który naprawdę przyswoił sobie kwestię Scarlett.

Przed nakręceniem filmu z Gable'em, do którego zdjęcia miały się rozpocząć w następnym roku, kandydatura Sofii jako najlepszej aktorki pierwszoplanowej za rolę w *Czarnej orchidei* przedstawiona została na Festiwalu Filmowym w Wenecji.

W 1958 roku jej reakcję zarejestrowała prestiżowa dziennikarka tygodnika „Europeo" Oriana Fallaci, która z czasem zostanie jedną z najserdeczniejszych przyjaciółek aktorki.

Kiedy w nocy z soboty na niedzielę zawiadomiono ją, że wygrała, Sofia znajdowała się w Saint-Tropez. Jeszcze niedowierzając,

---

* W dialekcie neapolitańskim „dziewczyna z ulicy" (przyp. tłum.).

wynajęła prywatny samolot za pokaźną jak na owe czasy sumę prawie pół miliona lirów i z bogatej garderoby wybrała przesądnie tę samą wieczorową suknię, którą nosiła podczas premier w Nowym Jorku i w Brukseli.

W Wenecji, opowiada Fallaci, Sofia zadzwoniła do matki, żeby się z nią przywitać i podzielić się swoimi wątpliwościami i niepokojami, które dręczyły ją przed przylotem do Włoch z powodu oskarżenia o bigamię wysuniętego przeciwko Pontiemu.

Carlo nie mógł jej oczywiście towarzyszyć, ponieważ ryzykował aresztowaniem.

Sofię, potencjalną współwinowajczynię, zapewniono, że nie zostanie zatrzymana przez policję ani karabinierów. Napięcie związane z całą sprawą jednak nie malało i Sofia była naprawdę w szoku, kiedy z hotelu Excelsior eskortowano ją do Pałacu Festiwalowego na ceremonię zamknięcia.

Nie był to jej pierwszy raz w Wenecji, ponieważ była już tu w 1955 roku, kiedy miała dwadzieścia jeden lat.

Z rozpuszczonymi włosami, prostym makijażem i w sukni podkreślającej dekolt niemal przypadkiem spotkała się wtedy na Lido z wielkim reżyserem Robertem Rossellinim oraz z producentem i wydawcą Angelem Rizzolim.

Było to szczęśliwe spotkanie, uwiecznione przez szybką reakcję fotografa, które mogło jej przynieść jakąś ciekawą propozycję, jako że dała już dobrą próbę gry w filmie *Pod znakiem Wenus*, dziełku o pewnych ambicjach nakręconym na podstawie opowiadania Czechowa przez Dina Risiego.

A teraz wracała do Wenecji jako triumfatorka!

Oriana Fallaci przypisuje „rozsądkowi byłej dziewczyny z ludu" przeczucie, że to musiał być „cud" znaleźć się na poziomie Aleca Guinnessa, nagrodzonego za rolę męską.

Na widowni siedzieli najsłynniejsi aktorzy tamtych czasów, wśród nich Jeanne Moreau, która zagrała w skandalizujących *Kochankach*, ubrana w szeroką wieczorową suknię, rękawiczki sięgające przedramienia i koronkowy szal *chantilly.*

W owym roku na festiwalu pokazano też film *Na wypadek nieszczęścia*, w którym zagrała inna seksbomba – Brigitte Bardot, spędzająca swój czas w Wenecji zamknięta w pokoju hotelowym z Sachą Distelem, młodzieńcem mającym metr sześćdziesiąt wzrostu, który – według Fallaci – zawodowo pocieszał aktorki pozostawione samotnie ze swoimi pieniędzmi.

W chwili kiedy ogłoszono zwycięstwo Sophii Loren, sparaliżował ją strach.

„Wytrzeszczone oczy – pisze Oriana – rozchylone usta, jakby się dusiła, ręce uczepione oparć fotela, patrzyła w próżnię i nie miała siły się podnieść".

Trzeba ją było wręcz podnieść siłą i podtrzymywać, kiedy ruszała w kierunku sceny, gdzie mieli jej wręczyć prestiżowy Puchar Volpi. Suknia z czerwonej tafty ciążyła Sofii niczym ołów, a jej uśmiech był tylko na pokaz: wargi ściągnięte z trudem w jakiś grymas. Niewiele osób siedzących na widowni zdołało usłyszeć jej ledwie wyszeptane „dziękuję".

Po otrzymaniu nagrody, udzielając zwyczajowych wywiadów, Sofia podziękowała wszystkim, którzy przyczynili się do jej sukcesu.

Kiedy wymieniła nazwisko Carla Pontiego, jej głos się załamał. Fallaci pisze, że już miała powiedzieć „mój mąż" i tylko ułamek sekundy pozwolił jej zatrzymać się w porę.

Wtedy jej wielkie oczy wypełniły się łzami, wstrząsnął nią szloch i tym ostatecznie podbiła publiczność. Z pedantyczną precyzją Fallaci kontynuuje, mówiąc, że nie były to pierwsze łzy

wylane przez Loren. Po przylocie na lotnisko w Treviso rozpła-
kała się na widok dwóch pracowników z bukietem orchidei spro-
wadzonych aż z Hawajów: przeprosili, że nie są ciemnej barwy,
na co zasługiwał tytuł filmu *Czarna orchidea*.

W holu hotelu Excelsior, zatłoczonym po zakończeniu ceremonii prawie tak jak targ rybny albo mediolańska giełda, gwiazda
ze zwycięskim pucharem w ręku raz jeszcze wybuchnęła płaczem,
wspominając swoje dzieciństwo w Pozzuoli.

Być może Orianie Fallaci umknął fakt, że na dźwięk słowa Pozzuoli u Sofii otwierała się rana, którą spowodował list otwarty
jej krajanek, obrzucających ją obelgami za nielegalne małżeństwo
z producentem Carlem Pontim.

Po triumfie i świętowaniu z okazji zdobytej nagrody drogi
Sofii i Elsy Maxwell mogły się skrzyżować w Wenecji, ale Loren wróciła do Saint-Tropez, odmawiając zaproszenia na kolację
wystosowanego przez dziennikarkę. Z plotkarek wystarczała jej
Louella Parsons, jedyna dziennikarka, która wcześniej niż ona
sama i Carlo Ponti dowiedziała się o ich małżeństwie *per procura*.

KONIEC KOSZMARU

Niektórzy zastanawiali się, dlaczego Sofia wróciła natychmiast do Saint-Tropez. Powód był prosty: państwo Ponti nie mogli mieszkać we Włoszech, a jeden z ich domów znajdował się właśnie na Riwierze Francuskiej.

Inną próbą urządzenia się poza granicami Włoch był wybór Carla, by zamieszkać w górskiej willi o nazwie Daniel. Mieściła się na terenie ośrodka wypoczynkowego o powierzchni około stu hektarów w szwajcarskim Bürgenstock, gdzie łączyło się przyjemne z pożytecznym dzięki oszczędności na podatkach.

Zewnętrzna fasada należała do typowej, uroczej górskiej chaty, ale w środku znajdowały się wszystkie wygody: podwójna sypialnia, salon wychodzący na zapierającą dech w piersiach panoramę oraz służba oddana do dyspozycji przez centralną dyrekcję ośrodka.

Bogacze też płaczą, ale mówi się, że jest to mniej dotkliwe w rolls roysie silver cloud II, w willi w Saint-Tropez, czy też w górskiej chacie z pięknym widokiem.

Żarty na bok, bo tymczasem Sofia naprawdę rozpaczała w tym klejnocie szwajcarskiego krajobrazu. Tęsknota za Włochami była nieznośna, do tego stopnia, że Ponti siadał za kierownicą, żeby zawieźć ją na szczyt przełęczy Furka albo Świętego Gotarda, żeby mogła spojrzeć na włoską ziemię.

Wydaje się to śmieszne, ale być może tylko emigranci są w stanie zrozumieć ból Sofii, wiedząc, że tęsknota może przerodzić się w prawdziwą chorobę.

Poza wyzwoleniem Sofii od depresji coraz wyraźniejsza stawała się dla Pontiego konieczność znalezienia sposobu obrony przed oskarżeniem o bigamię, tak aby nie zaszkodziło to interesom, na których to przymusowe wygnanie mogło się odbić.

Potrzeba było pięciu lat, żeby znaleźć kruczek prawny, który pozwoliłby anulować meksykański ślub. Na nic się zdał list Carla Pontiego do włoskiego sądu, w którym tłumaczył się, pisząc, że on i aktorka byli zmuszeni pobrać się na obcej ziemi z powodów związanych z ich pracą. Wpadł w tarapaty, które pozornie były bez wyjścia.

Sofia cierpiała z powodu meksykańskiego ślubu również z innego powodu. Jej pragnienie macierzyństwa wzmagało się z dnia na dzień, ale zdawała sobie sprawę, że w tych warunkach byłoby szaleństwem nalegać na Carla i przekonywać go, żeby miał z nią dziecko.

Praca z kalendarzem tak wypełnionym obowiązkami i z tyloma wyrzeczeniami była sposobem na zapomnienie o jej potrzebach jako kobiety, ale to nie wystarczało. Nawet kiedy była wieczorem śmiertelnie zmęczona i położyła się już do łóżka, nie była w stanie zasnąć, ponieważ udręka spowodowana brakiem dziecka odbierała jej sen.

Jedna z kancelarii prawnych znalazła wreszcie rozwiązanie: prawo meksykańskie stanowiło, że ślub jest ważny tylko w obecności notariusza i dwóch świadków.

W wypadku małżeństwa *per procura* między Carlem Pontim a Sophią Loren ceremonia odbyła się w obecności dwóch reprezentujących ich adwokatów, ale pominięto obecność świadków!

Oznaczało to, że małżeństwo zawarte między producentem i aktorką było nieważne i w konsekwencji upadało oskarżenie o bigamię w stosunku do Pontiego, który pozostawał w związku z Giulianą Fiastri, swoją jedyną żoną.

Wszystko w porządku, a zatem?

Nie, jak zwykle nie wszystko było w porządku. Diabeł maczał w tym palce. W Ciudad Juárez nie można było odnaleźć dokumentu poświadczającego, że ślub odbył się bez udziału świadków. Zniknął. Ponti raz jeszcze wyłożył dużo pieniędzy, angażując do jego odnalezienia najlepszych detektywów. Wydobyto go od włoskiego dziennikarza, który ukradł dokument – to słowa Sofii – z ratusza w Ciudad Juárez. Wreszcie można było go przedstawić i uzyskać uniewinnienie.

„Nadszedł czas, by okazać śmiałość – powiedział mi Carlo. – Wracamy do Rzymu. Jeśli nie będziemy mieszkać razem, nikt nie będzie nas nękał".

Nie mieszkać pod jednym dachem – taka była cena wolności odzyskanej przez Carla i Sofię.

Zrzuciwszy z siebie koszmar potencjalnego aresztowania za bigamię, Carlo Ponti powrócił na pierwszą linię frontu, aby kontynuować swoją pracę producenta wraz ze wspólnikiem Marcellem Girosim. Zajmował się przede wszystkim filmami nadającymi się dla Sofii. Aktorka grała jedną rolę za drugą, poczynając od *Pięknej złośnicy* – filmu, który zawiódł pod względem wpływów kasowych, może również dlatego, że Sofia nosiła w nim blond perukę, co nie pasowało do jej śródziemnomorskich rysów – po *Zaczęło się w Neapolu*, który z kolei odniósł pewien sukces. Partnerowali jej Anthony Quinn, Clark Gable, John Gavin i Maurice Chevalier.

Ponti chciał zrobić sobie małe wakacje, produkując filmy, które by mu się podobały, nie robiąc problemu z ich kasowości. Jego węch wciąż jednak go nie zawodził. Tytaniczne przedsięwzięcie podjęte ze wspólnikiem De Laurentiisem, *Wojna i pokój*, naznaczyło koniec ich współpracy i teraz Ponti miał ochotę produkować filmy oparte na powieściach pisarzy, których lubił.

Jednym z jego ulubionych był Alberto Moravia. Ponti przeczytał jego powieść *Matka i córka*, książkę mającą za sobą długą i skomplikowaną historię. W 1944 roku Moravia wraz z żoną Elsą Morante schronił się w małej wiosce niedaleko Fondi di Sant'Agata i tam poznał rodzinę, która stała się inspiracją dla opowieści o mieszkance Ciociarii o imieniu Cesira, matce w średnim wieku, symbolu cierpień włoskich kobiet podczas drugiej wojny światowej.

Moravia umieścił akcję powieści na przełomie 1943 i 1944 roku, ukończył ją dopiero w latach pięćdziesiątych, a opublikował w roku 1957.

Carlo Ponti chciał, żeby film reżyserował George Cukor, a z kolei reżyser pragnął, aby bohaterkę zagrała Anna Magnani, znakomita aktorka, która w 1955 roku zdobyła Oscara za *Tatuowaną różę*.

Wobec odmowy Magnani i jej sugestii, żeby zamiast niej zagrała Sofia, Ponti, po tym jak Cesare Zavattini napisał scenariusz, powierzył reżyserię *Matki i córki* Vittoriowi De Sice.

De Sica poszedł za sugestią Anny Magnani, nieważne, czy była ona prowokacyjna czy szczera, i do roli pięćdziesięcioletniej Cesiry wybrał dwudziestopięcioletnią Sofię.

Chodziło tylko o wprowadzenie *pewnych* zmian do oryginalnej historii.

PETER SELLERS

Przed *Matką i córką* w planach Sofii było nakręcenie w angielskich Elstree Studios komedii romantycznej według George'a Bernarda Shawa, obrazoburczego pisarza i dramaturga irlandzkiego, laureata literackiej Nagrody Nobla w 1925 roku, tak długowiecznego, że mógł uśmiechem ukarać obyczaje dużej części wieku.

Film *Milionerka*, zainspirowany historią przepięknej lady Nancy Astor, pierwszej kobiety zasiadającej w angielskim parlamencie w 1918 roku, miał za bohaterkę Epifanię Ognisanti di Parerga.

Akcja została umieszczona w edwardiańskiej Anglii lat sześćdziesiątych, a Sofia miała okazję nosić bajeczne suknie i kapelusze, ale także gorset z podwiązkami tak seksowny, że dziś jeszcze miłośnicy gatunku szukają na YouTubie odpowiednich fragmentów filmu.

Jako partnera Sofii reżyser Anthony Asquith wybrał mało znanego aktora, „gumową twarz" o nazwisku Peter Sellers.

PETER SELLERS

Mający metr siedemdziesiąt trzy wzrostu przy metrze siedemdziesięciu czterech bez obcasów Sofii, obdarzony wielkim nosem, na którym wspierały się okulary w stylu Groucho Marxa, na pewno nie posiadał urody i wyrafinowanej elegancji Cary'ego Granta.

Carlo Ponti nie zgadzał się z wyborem Sellersa, ponieważ nie uważał, by dorównywał on sławie Sofii, ale w tym wypadku musiał poddać się woli reżysera i producenta Dimitriego De Grunwalda.

Sellers był dobrym partnerem ze względu na swoją komiczną werwę, ale zupełnie niegroźnym jako ewentualny uwodziciel Sofii. Tak przynajmniej myślał Carlo Ponti, który oparzył się na minionym doświadczeniu z Carym Grantem, a pamiętał też krążące plotki dotyczące rzekomego flirtu jego ukochanej z niejakim Jackiem Cardiffem, autorem zdjęć nagrodzonym Oscarem, podczas kręcenia *Legendy zaginionego miasta* z Johnem Wayne'em.

Wspólne spacery z Cardiffem, który był żonaty, i pikniki z Saharą w tle uruchomiły złe języki w ekipie, insynuujące, iż Sofia go uwodziła, żeby ją lepiej fotografował, ze stratą dla pozostałych aktorów.

Wymyślony flirt? Być może, ale na pewno jest prawdą, że biedny Cardiff był opętany przez urodę młodej aktorki.

Ponti mylił się, bo jeśli był na świecie szarmancki zdobywca kobiet obdarzony bezczelnością, a do tego sporą dozą szczęścia, był nim właśnie Peter Sellers.

Ożeniony z Anne Howe, która dała mu dwójkę dzieci, Michaela i Sarah Jane, angielski aktor był od Sofii dziewięć lat starszy.

Był to mężczyzna obdarzony wielką fantazją, szczególnie jeśli chodziło o uspokajanie zazdrosnej żony. Po tym jak zobaczył

Sofię po raz pierwszy podczas konferencji prasowej, powiedział Anne, że jest ona brzydka i pryszczata.

W każdym razie Carlo miał trochę racji, powątpiewając w wybór Sellersa jako partnera Sofii, ponieważ w 1960 roku trudno było przewidzieć przyszłe sukcesy aktora, które odniesie w roli niezdarnego bohatera *Przyjęcia* Blake'a Edwardsa, niezrównanego inspektora Clouseau w *Różowej Panterze*, nie wspominając o *Dr Strangelove* Stanleya Kubricka i *Wystarczy być* Hala Ashby'ego.

Silny swoją umiejętnością rozśmieszania Peter miał większe powodzenie u kobiet niż mężczyźni pewni swojej urody i swojego czaru, ale był też wrażliwy, niespokojny, o zaburzonej równowadze, zawieszony między wiekiem dorastania a dorosłością.

Właśnie z powodu swojego młodzieńczego, żywiołowego charakteru Sellers szaleńczo zakochał się w Sofii, jednej z najpiękniejszych kobiet, jakie kiedykolwiek widział.

Aktorka nie odrzuciła jego zalotów, ale jak wytrawna uwodzicielka, doskonała flirciara, nigdy nie uległa jego awansom, trzymając go wciąż jak na rozżarzonych węglach.

Był to dla Sofii trudny moment: nie widziała swojej przyszłości jako pani Ponti i z każdym mijającym dniem czuła się coraz starsza, żeby mieć dziecko. Ostatnią jednak rzeczą na świecie, której by sobie życzyła, było urodzić „bękarta".

Może to właśnie był powód, dla którego nie zatrzasnęła przed Peterem drzwi, dopuszczając nawet myśl, że mogłaby go poślubić, czego nie uczyniła w przypadku Cary'ego Granta, byle tylko zostać w końcu żoną i matką.

Peter zabierał ją na kolacje do najpiękniejszych lokali w Londynie albo do uwielbianych przez siebie restauracji chińskich.

Pewnego wieczoru urządził na jej cześć party w swoim wiejskim domu, a pozostawiając żonie Anne zadanie zabawiania zaproszonych gości, sam uznał za stosowne przetańczyć cały wieczór z Sofią. Co oczywiste, sytuacja nabrała rozpędu. Peter postanowił więc wyznać Anne, że zakochał się w Loren. Na pytanie producenta De Grunwalda, czy Sofia zgadza się na tę miłość, odpowiedział, że nie jest to takie pilne, bo na pewno przekona ją, by go poślubiła.

Był w błędzie.

Carlo Ponti poprosił Sofię, by przyjechała po niego na lotnisko. Postanowił pospieszyć na plan, żeby raz jeszcze odzyskać swoją miłość.

Po latach Peter Sellers napisał w swojej autobiografii, że gdyby Ponti umarł, Sofia na pewno by go poślubiła. Jeśli chodzi o ich związek, Peter twierdził, że on i Sofia naprawdę się kochali, a ona, obrażona, odpowiedziała, że ma on bujną wyobraźnię, bo między nimi *nigdy* nie było nic poważnego.

Prawda była taka, że Peter Sellers odchodził od żony i potrzebował pocieszenia.

Patrzył na mnie tymi swoimi wielkimi, łzawymi oczami zbitego psa, a ja odwzajemniałam jego spojrzenie z uczuciem. To wystarczało, żeby go pocieszyć.

Ciekawostka: w 2004 roku właśnie ten okres z życia brytyjskiego aktora na tle lat sześćdziesiątych przeniesiony został na ekran. *Peter Sellers – życie i śmierć*, gdzie w jego postać wciela się Geoffrey Rush, pokazany został w Cannes. W filmie pojawiły się również jego kobiety: jedną z czterech żon, Britt Ekland, zagrała Charlize Theron, natomiast pełna dobrych chęci Sonia Aquino wcieliła się w postać Sophii Loren – niestety bez powodzenia.

Kiedy pojechała na lotnisko Heathrow, żeby powitać Pontiego, w dobrze strzeżonej komodzie w domku niezbyt oddalonym od studiów filmowych Elstree Sofia zostawiła biżuterię podarowaną jej przez Carla i tę, którą sama nabyła.

Bardzo zręczny złodziej obserwował ruchy włoskiej gwiazdy i włamał się, kradnąc jej wszystko, podczas gdy obsługa zrobiła sobie przerwę na odpoczynek.

Po powrocie Sofia odkryła, że znikła między innymi kolia z rubinami, naszyjnik z diamentami i komplet ze szmaragdami, złota torebka, naszyjnik z białych pereł i drugi z czarnych, które nosiła razem i nigdy się z nimi nie rozstawała.

Łup, wyceniony na ówczesne 324 miliony, obejmował również cenne pierścionki, stare broszki, wśród nich jedną w kształcie węża, z jednym okiem z rubinu, a drugim ze szmaragdu.

– Nie są nawet ubezpieczone! – biegał z krzykiem zrozpaczony Carlo Ponti, niemal jakby chciał przypisać Peterowi Sellersowi, poza próbą złapania w sidła jego żony także zły urok, który stał się przyczyną tej milionowej kradzieży.

MARILYN: BOGINI SEKSU

Sofia i Carlo jakoś ścierpieli cios związany z kradzieżą biżuterii. Peter Sellers, kiedy się o tym dowiedział, zasłabł na planie i zemdlał. Trafił do szpitala, a kiedy doszedł do siebie, podarował Sofii, jako początek nowej kolekcji, diamentową bransoletkę.

Ciekawe, że w swoich wspomnieniach Sofia nie przywołuje nigdy angielskiego aktora, któremu najwyraźniej nie wybaczyła zdania o Carlu Pontim ani przechwałek o ich wzajemnej miłości.

Była natomiast aktorka, którą Sofia uwielbiała, poza tymi, które – jak Ritę Hayworth – podziwiała jako dziewczynka, kiedy chodziła z ciocią Dorą do kina w Pozzuoli. Aktorką tą była blondwłosa Marilyn Monroe. Ona również pozowała Alfredowi Eisenstaedtowi, temu samemu fotografowi, który kilkakrotnie uwiecznił Sofię dla „Life".

W 1952 roku Eisie, zdrobnienie, którym nazywali go przyjaciele i koledzy, sfotografował Marilyn dla „Life" w sposób zupełnie inny niż Philippe Halsman, uważający ją za boginię miłości. Ten pokazał ją w jasnej sukni opadającej na ramiona, z wyeksponowanym biustem, lekko rozchylonymi ustami i powiekami przymrużonymi nad uwodzicielskim spojrzeniem.

Widziana oczami Eisiego Marilyn była prawdziwą, młodą Normą Jean Baker. Fotograf uchwycił ją z lekkim makijażem, w prostym czarnym golfie i białych rybaczkach. Taka sama dziewczyna wczoraj i dziś, ta sama moda, prostota, bez blichtru gwiazdorstwa. To była siła wielkiego fotografa, jakim był o wiele niższy od Sofii Niemiec, który obiektywem potrafił uchwycić duszę postaci.

Zdarzyło mu się tak w 1933 roku z Josephem Goebbelsem, nazistowskim ministrem propagandy. Portret mówiący więcej od historycznej relacji: Goebbels siedzi, ściskając oparcie krzesła zakrzywionymi rękami, z wrogim i podejrzliwym spojrzeniem skierowanym w obiektyw Eisenstaedta, gdy tymczasem pochylający się współpracownik podaje mu usłużnie kartkę papieru, a drugi za jego plecami kontroluje całą scenę. Był to portret „dzikiej i bezlitosnej" arogancji władzy, niezamaskowanej okolicznościowym uśmiechem, dodającym narodowi otuchy.

Inną słynną fotografią Eisiego, którą znają dzisiejsi młodzi, jest nieśmiertelna scena pocałunku między marynarzem i dziewczyną, świętującymi koniec wojny z Japonią 15 sierpnia 1945 roku na Times Square.

To obraz, który stał się ikoną: jest na nim miłość, radość, życie, które powracają, pozostawiając za sobą okropności wojny.

Kiedy w sierpniu 1962 roku Carlo zadzwonił do Sofii, żeby zawiadomić ją ostrożnie o tym, że Monroe nie żyje, pani Loren bardzo cierpiała i przypomniała sobie słowa, które Marilyn wypowiedziała w ostatnim wywiadzie udzielonym „Life" na tydzień przed śmiercią. Przeszedł ją dreszcz. Marilyn podyktowała coś w rodzaju testamentu: „Sława jest dla mnie tylko chwilowym i niepełnym szczęściem, które mnie nie zaspokaja. Czymś, co rozgrzewa, ale ciepło jest tylko chwilowe: być skończonym może przynieść prawie ulgę. To tak, jakby nie znać trasy, po której się pędzi. Kiedy dociera się do mety, oddycha się z ulgą. udało się. Ale sława odchodzi – żegnaj. Miałam cię, sławo. Ale zawsze wiedziałam, że jesteś niestała".

A jeśli dla niej, Sofii, sława też będzie niestała?

Na to pytanie ona znalazła odpowiedź, której nie miała Marilyn.

Widziałam Marilyn na ostatnich zdjęciach na plaży w Kalifornii. Była wciąż przepiękna, ale na jej twarzy czytało się samotność.

Kobieta bez przyjaciół, bez kochającego ją mężczyzny, bez nadziei.

Nie wierzę, że zabiła się, bo się starzała.

Nie. Marilyn była istotą samotną od urodzenia.

Życie odebrali jej mężczyźni, którzy okradli ją z emocji, nie oddając nic w zamian, żądając, by była na świecie wyłącznie jako bogini seksu.

Sofia była boginią seksu, ale nie tylko tym.

MARIA SCICOLONE-MUSSOLINI

Rok 1962 był ważny dla rodziny Scicolone. Maria wyszła za mąż za pianistę jazzowego Romana Mussoliniego, najmłodszego syna Duce.

Sofia została poproszona przez Marię, żeby wystąpiła w charakterze głowy rodziny i udzieliła siostrze pozwolenia na ślub. Sofia była przeciwna, nie tyle z powodu nazwiska, przypominającego dyktatora związanego nierozerwalnie z trudnym okresem włoskiej historii, ile dlatego, że uważała Romana za niewłaściwego mężczyznę dla swojej siostry: według niej był zbyt zainteresowany kobiecymi podbojami, powierzchowny i słabego charakteru.

Natomiast Maria była do szaleństwa zakochana: odnajdowała w Mussolinim bratnią duszę, dzielącą z nią głęboką pasję do śpiewu i muzyki.

We wspomnieniach Marii powracają przepiękne chwile, szczególnie na początku ich związku, inne natomiast tragiczne, na przykład kiedy odkryła zdrady męża, który grając w zespole, wracał do domu bardzo późno.

W tamtym czasie Maria miała jasne, długie włosy. Stała się bardziej wyrafinowana, poddała się diecie po dwóch ciążach i była przepiękną, młodą kobietą, noszącą w sercu wielkie brzemię, które jednak dzięki odwadze Villanich potrafiła ukryć za szerokim uśmiechem.

Pewnego ranka po przebudzeniu odkryła w łóżku długi, czarny włos. Przyniósł go do domu Romano jako nieumyślną pozostałość po jednym z miłosnych podbojów. Maria nic nie powiedziała, ale ufarbowała włosy na czarno.

„Zrobiłam to, bo w ten sposób nie cierpiałabym już, znajdując w łóżku włos kochanki mojego męża. Czarne włosy byłyby moje, a ja zyskałabym spokój ducha, bo nigdy bym nie wiedziała, czy nie należały do innej kobiety".

Tak się mówi, spokój ducha, ale to już inna historia, która nigdy nie wyjdzie na jaw i pozostanie tajemnicą w sercu najbliższych krewnych Marii.

Kiedy poznało się Romana Mussoliniego w ostatnich latach życia – zmarł w 2006 roku – okazywał się on osobą uprzejmą, łagodną, elegancką. Poza ukochaną muzyką w ostatnim czasie jego myśli skierowane były ku rodzinie. Był dumny z Alessandry i Elisabetty, córek ze związku z Marią, i z Racheli, urodzonej z trzydziestoletniego związku z byłą aktorką Carlą Puccini.

Czwarte dziecko Duce, miał znakomitą pamięć i nie wahał się opowiadać o swoich przeszłych doświadczeniach, nawet najbardziej bolesnych, bez tej powściągliwości kogoś, kto nie akceptuje zmiennych kolei losu.

Po śmierci ojca i powieszeniu jego zwłok na piazzale Loreto, spędził jakiś czas w więzieniu z matką Rachele i siostrą Anną Marią, gdzie niedostatek jedzenia i zimno wywołały u niego gruźlicę. Potem przeniesiono go do obozu koncentracyjnego.

Przeżył okres świetności w Villa Torlonia i nędzę klęski, ale jedna rzecz zawsze go pocieszała i inspirowała – muzyka. Grał na fortepianie z nadzwyczajnym poczuciem rytmu od dzieciństwa, kiedy zaczynał jako samouk dzięki słuchowi muzycznemu odziedziczonemu po ojcu Benicie. Również Duce, grający na skrzypcach, potrafił czytać wszystkie partytury i przechowywał jedną bardzo cenną, *Wesołej wdówki*, podarowaną mu przez Franza Lehara.

Romano, ceniony pianista jazzowy, grywał z najbardziej znanymi jazzmanami, jak Duke Ellington, Chet Baker, Lionel Hampton, czy Dizzy Gillespie. Wspominał z nutą dumy, że poznał również austriackiego Żyda Oscara Kleina, któremu ojciec dał paszport, żeby mógł wyemigrować do Szwajcarii.

Kiedy Maria spotkała Romana na koncercie jazzowym w Rzymie, postanowili spotykać się i razem muzykować. „Poznałem Marię w 1958 roku. W tym samym czasie poznałem Sofię, ale wolałem Marię, chociaż wszyscy mówią: – Ale z ciebie szczęściarz, byłeś blisko tak pięknej kobiety. – Sofia zawsze robiła na mnie wrażenie jako kobieta, nie z powodu urody. Było tego dla mnie za wiele".

Za wiele również dla Marii. Twardym orzechem była właśnie ona, Sofia. To ona musiała mieć ostatnie słowo, ale w tym wypadku na nic się zdały wymówki i ostrzeżenia starszej siostry. Maria podjęła decyzję i zaparła się, jak nigdy wcześniej. Wyjdzie za Romana, niezależnie od tego, czy matka i siostra się na to zgodzą.

Muzyka połączyła dwa serca, szczególnie jeśli chodzi o niewiele ponad dwudziestoletnią Marię, która znajdowała w przyjaźni, a potem w miłości Romana, starszego od niej o siedem lat, spokój, jakiego brakowało jej w domu matki.

Nazwisko Mussolini nie przerażało jej, tymczasem Romildzie, przynajmniej na początku, Romano się nie podobał. Maria nie miała wątpliwości, ale nawet gdyby tak było, dla całkowitego ich rozwiania fundamentalne stało się spotkanie z Rachele Guidi, matką Romana, która miała tchnąć w nią pogodę ducha, okazać zrozumienie i uczucie. Nastąpiło to w Villa Carpena, gdzie urodzili się Romano i Anna Maria, i gdzie w pobliżu spoczęły szczątki Benita.

Rachele Guidi, która przez lata żyła u boku Mussoliniego, była biedną wieśniaczką, która skończyła drugą klasę szkoły podstawowej, pracując jako służąca, aż do chwili kiedy Benito przekonał ją, zaledwie dziewiętnastoletnią, by z nim odeszła.

Biondina, jak ją nazywali, bez wahania przyjęła tę jakże niekonwencjonalną propozycję. Spakowała tobołek, do którego włożyła sukienkę, dwie chustki i parę groszy. Podczas ucieczki szli pięć kilometrów w strugach rzęsistego deszczu.

Dumna matka i zdradzana żona targnęła się nawet na życie po wstrząsającym spotkaniu w Villa Fiordalisi z Clarettą Petacci. Zaatakowana z furią przez Rachele, która wrzeszczała z charakterystyczną dla siebie emiliańską gwałtownością, młoda kochanka Mussoliniego wybuchła płaczem i zemdlała, wzbudzając niemal jej litość.

Jednak po powrocie do domu żona Duce najadła się chlorku.

Cudem została odratowana.

– Moja matka miała chłopskie korzenie, była kobietą w starym stylu – tak to skomentował Romano.

W starym stylu, ale z nowoczesną wizją życia, bo – jak opowiada Maria – Rachele powiedziała jej, że nawet jeśli nie poślubi Romana, ten dom, Villa Carpena, będzie dla niej zawsze otwarty i że przyjmie ją jak córkę.

— Moja matka dobrze przyjęła Marię — wspominał Romano — uwielbiała ją do tego stopnia, że to właśnie ona mi powiedziała: „Musisz ożenić się z tą dziewczyną". Ja byłem zakochany, choć zawsze uczuciowo byłem niestały. Mogłem być szaleńczo zakochany w jakiejś kobiecie, a na przykład ulec innej".

W młodości syn Mussoliniego był człowiekiem o wielu zainteresowaniach i na pewno niełatwym towarzyszem życia, ponieważ bardziej zależało mu na ryzyku niż na bezpieczeństwie, od wierności małżeńskiej wolał emocje związane z wyzwaniami i odkrywaniem nowego. Nie bez powodu, w związku z okresem swojej pracy w kinie, wyznał tę swoją skłonność do dreszczyku emocji: Działalność producenta filmowego doprowadziła mnie do ruiny przy okazji tak zwanych „spaghetti westernów", ale nie żałuję tego, co zrobiłem, i postąpiłbym tak samo, ponieważ to środowisko dostarczało mi emocji, których pokerzysta może zakosztować tylko wtedy, kiedy blefuje albo ma w ręku pokera.

Z tamtego okresu pochodzą znajomości z postaciami ze świata filmu i rozrywki. Romano poznał Federica Felliniego, Waltera Chiariego, Lucię Bosè, braci Eduarda i Peppina De Filippo. Mimo że miał dziurę w płucu, co czyniło jego zdrowie raczej słabowitym, palił i nie szczędził sobie brawurowych nocy.

Sofia spotkała się dwukrotnie z Rachele Mussolini. Za pierwszym razem *donna* Rachele w towarzystwie Marii przyszła odwiedzić ją na planie filmu *Boccaccio 70*. Sofia grała w jednej z czterech nowel (pozostałe trzy to *Il lavoro* [Praca] z Romy Schneider w reżyserii Luchina Viscontiego i *Kuszenie doktora Antoniego* z Anitą Ekberg w reżyserii Felliniego oraz *Renzo e Luciana* w reżyserii Maria Monicellego). Jej nowelę reżyserował Vittorio De Sica, nosiła tytuł *La riffa* (Loteria fantowa), a ona, dziewczyna z lunaparku, była najpiękniejszą „rzeczą" w filmie, w czerwonej sukience z głębokim dekoltem, tapirowanymi włosami i złotymi, okrągłymi kolczykami w uszach.

Rachele i Sofia spotkały się, jedna ciekawa drugiej, każda wobec drugiej nieco podejrzliwa. Obie zmieniły zdanie i wywarły na sobie wzajemnie pozytywne wrażenie.

Drugie spotkanie miało miejsce, kiedy Sofia udała się do Villa Carpena, ale o tej wizycie złożonej donnie Rachele Sofia tylko krótko wspomina.

Donna Rachele miała siedemdziesiąt jeden lat i była jedną z najpiękniejszych i najbardziej niezwykłych osób, jakie kiedykolwiek spotkałam. Krucha, siwowłosa, o intensywnie niebieskich oczach, zobaczyła, jak nadjeżdżam bardzo luksusowym samochodem, rolls royce'em Carla, i to kazało jej myśleć, że nie jestem osobą prostolinijną. Jednak już wkrótce zaprzyjaźniłyśmy się w kuchni, przygotowując makaron i mięso.

Krucha, tak, ale pełna zaraźliwej energii.

Z tamtego dnia pozostało też jednak Sofii traumatyczne wspomnienie: widok niektórych szczątków Duce, które Rachele pokazała jej w jednym z pokojów domu przekształconym w kaplicę; chodziło o oko i fragment mózgu, usunięte z jego ciała, kiedy przechowywane było pod pieczą aliantów w celu przeprowadzenia badań naukowych.

Jasna głowa donny Rachele pozostała na długo w pamięci Sofii, ale bardziej niż jej godność i życzliwość ujęła aktorkę miłość, jaką donna Rachele wciąż darzyła męża, który tak bardzo i tak często ją zdradzał.

Dla Sofii kobieta ta, niezależnie od nazwiska, była przykładem wierności przekraczającej gorycz i rozczarowania. Być może przykładem, który pani Loren przypomni sobie, kiedy znajdzie się w potrzebie.

W marcu 1962 roku nadszedł wreszcie dzień ślubu Marii i Romana. W Predappio na placu przed małym kościołem zgromadziło się ponad pięć tysięcy osób. Fotoreporterzy wyglądali na oszalałych, a paparazzi wspięli się nawet na ołtarz. To był „cyrk", jak określiła to wydarzenie Sofia, który dudnił z ogłuszającym hałasem w uszach wszystkich zebranych, również oszołomionych gości zaproszonych na uroczystość.

Maria była szalona ze szczęścia, miała na sobie bajeczną suknię i biały welon przypięty do fryzury kwiatami pomarańczy.

Zdjęcia z ceremonii pokazują Sofię o intensywnym spojrzeniu, elegancką, z włosami zebranymi pod rondem wielkiego kapelusza, obok matki Romildy, która pod swoim kapeluszem obnosiła znudzoną twarz. Albo niezadowoloną.

Maria wyznała, że podczas weselnego obiadu zamknęła się w łazience i przed lustrem, dotykając obrączki, wygłosiła uroczystą przysięgę: „Nigdy nie zdejmę tej obrączki z palca".

Nigdy nie mów nigdy.

Raz jeszcze los zastawił pułapkę: na radość nakładało się cierpienie. Po zakończeniu przyjęcia Sofia i Romilda wsiadły do rolls royce'a, żeby wrócić do Rzymu. Podczas podróży ich szofer nie zdołał wyminąć młodego mężczyzny jadącego na skuterze. Niestety zderzenie było śmiertelne dla Antonia Angeliniego, zaledwie dwudziestopięcioletniego nauczyciela.

Szok był ogromny. Pośród płaczu i szlochów Sofia, Romilda i kierowca samochodu byli przez wiele godzin przesłuchiwani przez policję. Na koniec spisano protokół, w którym odpowiedzialnością za śmierć młodego człowieka obarczano szofera i cała trójka została wypuszczona, podczas gdy bezlitośni paparazzi robili swoje zdjęcia.

Po upływie długiego czasu Loren spróbowała wyostrzyć wspomnienia ze ślubu Marii i Romana.

Tamtego dnia najbardziej byłam zazdrosna o ojca, który prowadzi córkę do ołtarza. Wydawało mi się aktem mało czułym ze strony mojej siostry zostawić mnie samą i odejść z mężem. Było to bolesne wrażenie, które trwało kilka dni...

Są to słowa, które brzmią dziwnie podobnie do tych, jakie Romilda wypowiedziała przez telefon do Marii, kiedy dzwoniła do niej z Rzymu do Hollywood.

We wspomnieniach Marii tamte płacze matki wciąż powodują cierpienie. „Nie zostawiaj mnie, jestem sama. Co tu pocznę sama, pozostawiona przez was obie?" Były to słowa, które wywoływały w sercu Marii silne poczucie winy.

Czasami węzeł miłości zaciska się tak mocno, że aż dusi.

WCZORAJ, DZIŚ, JUTRO

Jeśli życie osobiste Sophii Loren było pełne udręki, to jej kariera stanowiła źródło wielkiej satysfakcji.

W 1961 roku zagrała w *Cydzie* u boku Charltona Hestona, który zdobył już rozgłos za sprawą *Dziesięciorga przykazań*, a w 1960 roku otrzymał Oscara za rolę w *Ben Hurze*. Ogromne powodzenie, jakim cieszyły się te filmy w tamtych latach, można zaobserwować jeszcze dzisiaj, kiedy z wysokimi wynikami oglądalności proponowane są przez stacje telewizyjne różnych krajów.

Postać kreowana przez Sofię to wyniosła i udręczona Chimena, która zostaje żoną Hestona, i choć włoska krytyka niezbyt przychylnie nazwała film gniotem za miliony dolarów, gra Sofii została doceniona.

Większą satysfakcję sprawiał jej jednak szacunek współpracowników, który zdobyła mimo fizycznego cierpienia, dzięki determinacji, z jaką zniosła silną grypę i złamanie barku w czasie zdjęć. Szczególnie podziwiał ją gwiazdor Charlton, na którego głośno i bez cienia złośliwości jego entuzjastyczni włoscy wielbiciele wołali *Charleston* podczas święta winogron w Marino, gdzie – według bezlitosnej relacji dziennika „Tempo" – zarzucony gronami, został wciągnięty w tłum i popychany przez wstawionych już chłopaków, aż znalazł się obok sprzedawczyni mięsa pieczonego prosięcia, która wystraszona ściskiem walnęła go w twarz.

W 1961 roku Oscara za rolę w filmie *Butterfield 8* zdobyła Elizabeth Taylor, natomiast w następnym roku w wyścigu do nagrody, do której Sofia nominowana została za *Matkę i córkę*, jako faworytkę typowano Natalie Wood za *Wiosenną bujność traw*.

Przy takich nazwiskach ani Sofii, ani Pontiemu droga do Oscara nie wydawała się prosta, tym bardziej że chodziło o rolę graną nie po angielsku.

W tamtych latach drobna Natalie Wood była już uznaną aktorką. Niegdyś cudowne dziecko, była w tym samym wieku co Maria Scicolone i miała pewną cechę wspólną z Loren.

Matka Natalii Zacharenko, bo tak brzmiało prawdziwe nazwisko Wood, była rosyjską imigrantką, podającą się za potomkinię księcia, i swego czasu została wybrana królową piękności. Podobnie jak Romilda przeniosła więc na córkę wszystkie swoje ambicje, czemu sprzyjał talent dziewczynki.

W wieku zaledwie szesnastu lat Natalie została kochanką starszego aż o dwadzieścia siedem lat reżysera Nicka Raya. Jego rady pozwoliły młodziutkiej aktorce uważnie pokierować swoją karierą. Przed rolą, która przyniosła jej nominację do Oscara, zagrała u boku Jamesa Deana w *Buntowniku bez powodu* oraz w niezapomnianym *West Side Story*.

Jednym z powodów, dla których państwo Ponti nie pojechali na ceremonię wręczenia Oscarów, było właśnie to, że wszyscy

ludzie związani z branżą filmową stawiali na Natalie Wood, a Sofia nie chciała pokazywać się publicznie w razie porażki.

Dyrektor „Life" był tak przekonany o zwycięstwie Wood, że
polecił jednemu z fotografów swojego pisma, aby robił jej zdjęcia podczas przygotowań do ceremonii. Sfotografowano wybór
sukni na wielką galę, następnie upozowano Natalie podczas robienia makijażu i układania fryzury.

Kiedy nadszedł wreszcie wyznaczony dzień 9 kwietnia, fotograf uwiecznił radosny wyraz twarzy aktorki wchodzącej do teatru
w towarzystwie Warrena Beatty'ego, partnera z filmu, a następnie
przykucnął u jej stóp podczas ceremonii, gotowy do sfotografo-
wania jej wybuchu szczęścia w chwili ogłoszenia jej zwyciężczynią
w kategorii najlepszej aktorki w roli pierwszoplanowej.

Kiedy padło nazwisko Sophii Loren, Natalie, poza ogromnym
rozczarowaniem z powodu porażki, przeżyła dodatkowe upokorzenie na widok fotografa, który zbierał pospiesznie swoje rzeczy,
po czym oddalił się bez pożegnania.

To jest Hollywood, moje dziecko.

W kwestii upokorzeń Rzym nie ustępował w niczym Hollywood.

Mówi się, że po magicznej nocy triumfu Sophii Loren, kiedy
to media wprost oszalały, przeprowadzając z nią niezliczone
wywiady, Sofia postanowiła złożyć ofiarę, czy raczej dotrzymać
ślubu złożonego świętemu Januaremu. Postanowiła mianowicie
oddać krew w geście szczodrości, charakterystycznym dla wielu
osób. Laureatce Oscara towarzyszyli fotoreporterzy i dziennikarze, a „L'Osservatore Romano" skorzystał z okazji, żeby skiero-
wać kolejne surowe oskarżenia: katolicki i przyzwoity Rzym nie
może przyjąć krwi publicznej grzesznicy.

Tylko praca mogła ocalić Sofię przed wstydem i gniewem.

Już od dłuższego czasu kręciła cztery filmy rocznie. Nieprawdopodobna masa pracy poprzedzała zdjęcia, które odbywały się często w niekorzystnych warunkach klimatycznych: lektura scenariusza, przymiarki kostiumów i dobieranie fryzur, wszystko to wymagało mozolnych przygotowań.

Kiedy rozpoczęły się zdjęcia do *Wczoraj, dziś, jutro*, Sofia dobiegała trzydziestki. Aktorka wspomina ten moment jako życiowy przełom, kiedy to dużo bardziej niż w wieku czterdziestu lat kobiety robią rachunek osiągniętych celów.

Był to początek lat sześćdziesiątych i batalie feministyczne były zaledwie pieśnią przyszłości. Dzisiaj trzydziestoletnie dziewczyny czują, że to dopiero początek ich kariery, i chlubią się tym, że są singielkami unikającymi małżeństwa. Jeszcze wczoraj określenie „stara panna" budziło strach. W tym wieku kobiety, jeśli nie były jeszcze zamężne, czuły się już staro i błagały niebiosa, żeby pozwoliły im spotkać na czas właściwego mężczyznę. Z kolei jeśli miały już męża i nie zostały jeszcze matkami, czuły się staro, dlatego że nachalna ciekawość krewnych i przyjaciółek wywierała trudną do zniesienia presję.

Taki był przypadek Sofii, która w przeddzień trzydziestych urodzin postanowiła nie zachowywać już ostrożności: chciała w końcu zostać matką.

Walka, by poślubić Pontiego, wydawała się już przegrana. Rozwód Carla z Giulianą był niemożliwy do przeprowadzenia, a Sofia wolała własny komfort psychiczny niż posłuszeństwo wobec społecznego dyktatu.

Trzy epizody *Wczoraj, dziś, jutro* miały być realizowane w Rzymie, Neapolu i w Mediolanie. Sofia grała trzy bardzo różne postaci: rzymiankę Marę – dziewczynę na telefon, wiecznie ciężarną neapolitankę Adelinę i bogatą mediolankę Annę, z nudów gotową zdradzić męża.

Jej partnerem był uwielbiany Marcello Mastroianni, ze swoją porywającą mimiką, reżyserował zaś Vittorio De Sica.

Tymczasem Carlo Ponti dotrzymał obietnicy: zakończył prace w rezydencji w Marino i najpiękniejszy dom świata przyjął Sofię.

W pokrytej freskami, luksusowo urządzonej willi, z umieszczonym od frontu basenem w kształcie elipsy znalazła się kolekcja obrazów Carla oraz nagrody, a wśród nich amerykański Oscar, niemieckie Bambi, włoskie Donatella, Puchar Volpi, które spłynęły na Sofię podczas jej względnie krótkiej kariery.

Eisenstaedt sfotografował willę dla „Life", a Sofia pozowała w ogromnej sypialni – ona, która jako dziecko dzieliła z trzema innymi osobami jedno z dwóch łóżek w domu przy via Solfatara. Niemiecki fotograf sportretował ją w salonie z kanapami pokrytymi adamaszkiem, na licznych tarasach, w gabinecie, gdzie czytała scenariusze w towarzystwie wiernej i uroczej Ines Bruscii, i z Carlem przy śniadaniu. Przygotowano też kolację w wytwornej sali jadalnej, gdzie jako goście pozowali do zdjęć trochę usztywnieni, niemal zakłopotani, Vittorio De Sica z partnerką Marią Mercader i Marcello Mastroianni.

Z pięknym uśmiechem, na tle Marino, Sofia uwiodła obiektyw, trzymając na ręku siostrzenicę Alessandrę, córkę Marii i Romana Mussolinich.

Hollywoodzka gwiazda w hollywoodzkim stylu.

Potem zawieziono ją do Pozzuoli, gdzie Eisie dla potrzeb „Life" posadził ją w salonie przy via Solfatara z wujami i ciotkami: inny świat, pełen godności i dumny ze słynnej krewnej. Na ścianach wciąż pyszniła się tapeta w zielone liście: pierwsza nagroda zdobyta przez Sofię w Neapolu, kiedy miała czternaście lat.

Przed nakręceniem włoskiego filmu nowelowego Sofia wystąpiła w *Więźniach z Altony*.

Maximilian Schell i Robert Wagner, partnerzy Sofii, nie pozostali obojętni na jej urodę. Mówiło się, że aktorka kontynuuje swoje sercowe podboje, których ofiarą padł między innymi Wagner – za sprawą dziwnego zbiegu okoliczności mąż Natalie Wood, pokonanej przez Sofię w rywalizacji o Oscara.

Tworzenie sensacji rozpętało się jednak również w odwrotnym kierunku. Strategia reklamowa związana z promocją filmu posunęła się za daleko: w oku cyklonu tym razem znalazła się Sofia, ponieważ insynuowano, że to ona straciła głowę dla Maximiliana Schella. A tymczasem to Amerykanin, niezwykle przystojny, wysoki, o lalkowatej twarzy w połączeniu z sylwetką atlety, wkradł się w łaski Sofii. Przynajmniej w taki sposób on sam naświetli później sytuację, uzasadniając nieprzyjemne w stosunku do siebie zachowanie targanego zazdrością niemieckiego aktora.

Jaka była prawda? Nie jest łatwo odróżnić reklamowy flirt od prawdziwych miłosnych związków. Sofia lubiła mieć na planie dobre porozumienie z partnerami, nie znosiła jednak, kiedy potem wykorzystywano to, żeby za wszelką cenę miała o czym pisać prasa, deformując czasem prawdę.

Piękna, budząca namiętności na planie i poza nim, Sofia zostawiła za sobą dosyć ponure doświadczenie *Więźniów z Altony* i była szczęśliwa, że znów będzie grać z Marcellem, swoim ulubionym partnerem ekranowym, w filmie *Wczoraj, dziś, jutro*.

Było lato 1963 roku i zbliżały się dwudzieste dziewiąte urodziny Sofii. De Sica przekonał ją, żeby zrobiła zmysłowy striptiz, uwodząc siedzącego na łóżku, wpatrującego się w nią pożądliwie Marcella. Ta scena, z piosenką *Abat-jour* w tle, stała się kultowa.

Sofia u szczytu swej urody, w roli Mary, luksusowej prostytutki, w której zakochuje się niewinny seminarzysta, robiła striptiz z biegłością uzyskaną dzięki pracy z choreografem kabaretu Crazy Horse Jakiem Ruetem, który nauczył ją rozbierać się w sposób drażniąco powolny, przy wykorzystaniu odpowiednich ruchów.

Odpinając podwiązki i falując w rytm muzyki, Sofia zdejmowała czarne pończochy ze zmysłową zręcznością prawdziwej striptizerki. Męscy widzowie nie mieliby problemu, żeby identyfikować się z Marcellem, który wył niczym zakochany kojot.

Po nakręceniu epizodu rzymskiego Sofia przeniosła się do Neapolu, żeby zagrać Adelinę, kobietę sprzedającą papierosy z przemytu i nieustannie zachodzącą w ciążę, aby uniknąć więzienia. Sofia, ze sztucznym brzuchem na planie, zaczęła odczuwać wszystkie objawy prawdziwej ciąży. Chciała się upewnić i w wielkiej tajemnicy kazała się zbadać zaufanemu lekarzowi, który – jak później opowiadała – przyniósł ze sobą żabę.

Dziwny przyrząd jak na lekarza: jeśli po wstrzyknięciu moczu Sofii żaba umrze, będzie to oznaczało, że kobieta jest w ciąży. Eksperyment nie przyniósł przekonującego efektu: w pierwszej chwili żaba zdawała się martwa, ale potem ożyła. Przez kilka godzin aktorka i doktor obserwowali ruchy żaby, ale rezultat wciąż pozostawał niepewny.

Serce Sofii ścisnęło przeczucie. Dziecko jest, ale czy przetrwa?

Pewnej nocy przyszła odpowiedź. Sofia została pilnie odwieziona do szpitala z powodu samoistnego poronienia. Ciąża trwała tylko trzy i pół miesiąca.

Maria opowiada, że poszła odwiedzić siostrę w klinice, gdzie słychać było kwilenie noworodków i wszędzie pełno było różowych i niebieskich kokardek. Na drzwiach pokoju Sofii, która leżała w łóżku pogrążona w nieskończonym smutku, nie było żadnej kokardki.

CHARLIE CHAPLIN

Spotkanie z Charliem Chaplinem pozostawiło niezatarty ślad.

Dla Sophii Loren Chaplin to był Charlot, człowieczek z wąsami, w za dużych, dziurawych butach, z osobliwym wyrazem twarzy, który rozśmieszał ją, kiedy była dzieckiem, a stał się mitem, który podziwiała jako osoba dorosła.

Po telefonie, który odebrał jej oddech, Chaplin pojawił się w domku w Ascot z bukietem kwiatów i scenariuszem, żeby opowiedzieć jej historię hrabiny z Hongkongu.

Trzymał go w szufladzie przez dwadzieścia lat i dopiero po tym jak zobaczył ją we *Wczoraj, dziś, jutro*, pomyślał, że nadszedł moment, by nakręcić film z Sofią w roli głównej.

Tamtego wieczoru Chaplin zachwycił Sofię, przedstawiając za pomocą mimiki, która uczyniła go nieśmiertelnym, wszystkie postaci historii, tajemniczą i pozbawioną skrupułów rosyjską hrabinę Natashę Aleksandroff, bogatego dyplomatę Ogdena Mearsa, impertynencką i zazdrosną żonę Marthe, oraz całą plejadę pomniejszych postaci.

Dla Chaplina powrót na plan stanowił duże wyzwanie: minęło dziesięć lat, odkąd reżyserował swój ostatni film, *Król w Nowym Jorku*. Sofia zgodziłaby się nakręcić nawet reklamówkę w reżyserii Chaplina, a co dopiero film.

Jej partnerem miał być Marlon Brando, który był u szczytu sławy, doceniany za swoje aktorskie umiejętności, ale będący także symbolem seksu uwielbianym przez nastolatki z całego świata.

Przynajmniej na papierze, para ta, wraz z reżyserią Chaplina, gwarantowała sukces kasowy.

Loren i Brando wezwani zostali do Vevey, do szwajcarskiej willi, w której Chaplin mieszkał z młodą żoną Ooną O'Neill, córką słynnego dramaturga, i z ośmiorgiem dzieci. Chaplin ożenił się z Ooną w wieku pięćdziesięciu trzech lat, gdy tymczasem ona miała zaledwie osiemnaście, wywołując tym kolejny skandal, jakże typowy w jego prywatnym życiu.

Miał na swoim koncie nie tylko małżeństwo z Litą Grey, z którego urodziła się dwójka pierwszych dzieci, w tym późniejszy aktor Sydney, ale – poza oskarżeniami o przemoc – także różne związki z pięknymi kobietami, między innymi z Paulette Goddard, dla której napisał *Hrabinę z Hongkongu*.

W obecności dwójki aktorów i Sydneya Chaplin rozpoczął lekturę scenariusza.

Romantyczna historia, momentami nieco przesłodzona, toczy się podczas rejsu, kiedy dyplomata Mears po zawinięciu do portu w Hongkongu poznaje przepiękną hrabinę, która ukradkiem weszła na pokład transatlantyku. Celem kobiety jest dotarcie do Ameryki, postanawia więc ukryć się w szafie w kabinie mężczyzny, który rzecz jasna nie pozostaje obojętny na wyzywające wdzięki poszukiwaczki przygód. Sprawy komplikuje oczywiście żona dyplomaty, grana przez Tippy Hedren, ulubioną aktorkę

Hitchcocka, która wsiada na pokład na Hawajach, prowokując całą serię nieprzewidzianych sytuacji.

Sofia miałaby z tego znakomitą zabawę, gdyby nie wielkie zakłopotanie z powodu zachowania Marlona Brando.

Podczas lektury scenariusza przez Chaplina gwiazdor uznał za stosowne uciąć sobie drzemkę, otwierając raz na jakiś czas oko, żeby zerknąć na uroczą asystentkę Sofii Ines Bruscię, która towarzyszyła jej do Vevey. Żadna kronika towarzyska nie zdołała potem odkryć sensacji: Brando stracił głowę dla Ines i oboje przeżyli namiętny flirt podczas realizacji filmu.

Chaplin, spełniony aktor, obeznany ze światem spektaklu, z wyżyn swoich siedemdziesięciu ośmiu lat kontynuował niewzruszenie lekturę, gdy tymczasem Sofia czuła, że umiera ze wstydu z powodu zachowania Brando.

Był to wyraźny znak: między Chaplinem a Brando nie nawiąże się nigdy dobry kontakt. Nie pojawiła się między nimi ta chemia, która pozwoliłaby na uzyskanie jak najlepszego efektu. Brando nie bawił się dobrze i publiczność na pewno by to dostrzegła. W istocie rezultat, jeśli chodzi o wpływy, rozczarowywał.

Natomiast po nakręceniu filmu między Sofią i Chaplinem nawiązała się przyjaźń, wzmocniona ponadto wielką sympatią, jaka narodziła się między włoską aktorką a młodą Ooną.

Podczas wspólnie spędzanych wieczorów Charlie opowiadał o swoich młodzieńczych latach, spędzonych wśród baraków na ubogich londyńskich przedmieściach. Do jego nostalgii przyłączała się tęsknota Sofii, wywołana pachnącymi ragù wspomnieniami dzieciństwa w Pozzuoli, pod opiekuńczymi skrzydłami babci Luisy, niezapomnianej *mammy*.

WRESZCIE POŚLUBIENI

Z przyjaźni z Charliem Chaplinem pozostaje Sofii wiele wspomnień, które dziś jeszcze ogrzewają jej serce, a wśród nich rada, jakiej w trudnej chwili udzielił jej właśnie on, jeden z największych artystów wszech czasów, owiany legendą geniusz.

Po latach głos tego starego elfa zabrzmiał jej w głowie, dając wsparcie w momencie, kiedy zaczynało jej brakować wrodzonej energii, zwyczajowej woli walki.

Pewnego dnia podczas przerwy w zdjęciach, widząc mnie siedzącą z boku z cierpiącym wyrazem twarzy, Charlie podszedł do mnie. Ujął moje ręce i, patrząc na mnie z czułością w oczach, powiedział: „Sophio, zapamiętaj, co ci powiem. Nigdy nie bój się konfrontacji. Nawet kiedy zderzają się planety, z chaosu rodzi się gwiazda....".

W chwilach największego zamętu, kiedy czujemy, że opuszczają nas siły, a przyszłość zdaje się pogrążona w ciemności, wiara w siebie może dać ostatni impuls, by osiągnąć cel, jeśli uzbrojeni jesteśmy w świadomość, że z mrocznego okresu może wypłynąć tak bardzo oczekiwane światło...

Przed realizacją po angielsku i francusku *Hrabiny z Hongkongu* w życiu Sofii i Carla następowały częste kolizje planet, a przyszłość nie zapowiadała nic dobrego.

Genialny pomysł, pozwalający na odblokowanie sytuacji, podsunął Pontiemu adwokat, z którym wcześniej Carlo się nie konsultował.

Adwokatem tym była Giuliana Fiastri, jego żona! Podpowiedziała mu, żeby wystąpił o obywatelstwo francuskie. W efekcie Giuliana, będąc jego żoną, automatycznie też stałaby się obywatelką francuską i w ten sposób mogliby się rozwieść, na co pozwalało francuskie prawo.

Wtedy również Sofia, przyjmując francuskie obywatelstwo, mogłaby poślubić rozwiedzionego Carla Pontiego, za zgodą Włoch, które nie mogły zakwestionować małżeństwa zawartego między dwojgiem obywateli francuskich.

Carlo Ponti poszedł za tą radą i wystąpił o obywatelstwo, które z wielkimi honorami zostało przyznane zarówno jemu, jak i Sofii, w uznaniu ich wkładu w sztukę filmową.

Czas nie minął więc nadaremnie. Zbliżał się kwiecień 1966 roku, kiedy ponownie miały być celebrowane zaślubiny między Sofią a Carlem Pontim.

Tym razem na miejscu Sofii nie miał się pojawić adwokat z brodą i wąsami, tylko oni dwoje, z krwi i kości. Miało to położyć kres upokorzeniom i ostracyzmowi ze strony mieszczuchów.

Sofia nie chciała zdradzać nowiny nikomu, poza matką Romildą, siostrą Marią i serdeczną przyjaciółką Ooną Chaplin. Aktorka kręciła jeszcze w Pinewood Studios *Hrabinę z Hongkongu*, kiedy wyznała jej, że w kwietniu wychodzi za mąż. Pod jednym wszakże warunkiem: że uda się to zachować w tajemnicy przed prasą.

W tamtym czasie Sofia była gościem podczas wielu wydarzeń, zadziwiając dziennikarzy i publiczność swoimi futrami i kapeluszami godnymi prawdziwej gwiazdy, z uśmiechem, który zdawał się promienny. W rzeczywistości przeżywała napięcie związane z wydarzeniem, o jakim marzyła całe życie.

Wieczór i noc przed uroczystością, 5 kwietnia, Sofia spędziła w domu serdecznej przyjaciółki, która gościła ją w swoim mieszkaniu w Paryżu. Z Carlem planowała się spotkać w Sèvres, gdzie burmistrz miał udzielić im ślubu.

Jakież było zdziwienie Sofii, kiedy wcześnie rano zawiadomiono ją, że jakiś paparazzi ustawił się przed bramą. Nawet jeśli mężczyzna ten nie wiedział o ślubie i był tam, żeby zrobić zdjęcia aktorki spacerującej po Paryżu, to jednak stanowił zagrożenie: wystarczyło, że będzie ją śledził, a wtedy wyda się, co w trawie piszczy.

W głowach obu kobiet zaświtał pewien pomysł: przyjaciółka Sofii była wysoka i smukła jak ona. Założyła płaszcz i kapelusz Sofii, który zasłaniał jej pół twarzy, a także przepisowe ciemne okulary. Szybkim krokiem, ze spuszczoną głową i podniesionym kołnierzem, który drugą połowę twarzy osłaniał przed deszczem fleszów, podeszła do rollsa Carla, wsiadła do wozu i odjechała, a za nią ruszył wolniejszy samochód fotografa.

Sofia odetchnęła z ulgą, ale radość ze zbliżającego się ślubu jakoś nie nadchodziła.

Co za dziwne wrażenie. Dotrzeć do tak upragnionego celu i nie odczuwać tej emocji, którą pieściła w sobie przez tyle lat.

Jakaś melancholia, *déjá vu* minionych cierpień, lat walki, przeszywało jej serce z drżeniem, nad którym nie potrafiła zapanować.

Ślub nie będzie taki, o jakim marzyła jako dziewczynka.

Nie będzie białej sukni, choćby takiej prostej od neapolitańskiego krawca Lella Galateriego, w której pozowała jako szesnastolatka, kiedy była gwiazdką fotoopowieści.

Nie założy też bajecznej sukni, którą miała na sobie w Hollywood na planie filmu z Carym Grantem. Ceremonia odbędzie się przed burmistrzem, a nie w obliczu księdza w kościele wypełnionym kwiatami. Ona i Carlo, obywatele francuscy, wymienią się obrączkami na ziemi, którą będą już musieli uważać za swoją, ale która nie będzie ukochaną Italią.

Jak na filmowych zbliżeniach przesuwały się przed jej oczami jedna po drugiej ukochane twarze jej dzieciństwa, osoby, które chciałaby mieć u swego boku w świątecznych strojach w tym najpiękniejszym dniu: *mammę* Luisę i dziadka *Dummì*, wujów i ciotki, najlepszą koleżankę ze szkoły. Ona była Gwiazdą, Miss Sophią Loren, ale tylko w tym dniu chciałaby znów być panną Sofią Scicolone.

Suknię miała z żółtego jedwabiu, z wysokim kołnierzem zawiązanym po jednej stronie i długimi rękawami. Włosy utapirowane, bez żadnych kwiatów. Bukiet ślubny zrobiony był z lilii.

Ceremonia odbyła się szybko. Kiedy burmistrz Sèvres wypowiadał okolicznościowe słowa, dźwięk jego głosu docierał do Sofii stłumiony z powodu napięcia ściskającego jej serce.

W chwili zakładania obrączek wydawało jej się, że nie zrozumiała dobrze, o co prosi ją mer, który wychylał się z wysokości mahoniowego krzesła, żeby go było lepiej słychać. Zrozumiała wreszcie, kiedy oczekujący mężczyzna wskazał na pierścionek.

Zgodnie z francuskim zwyczajem to burmistrz wsuwał obrączkę na palec panny młodej. Sofia wyciągnęła do niego lewą dłoń i bez uśmiechu patrzyła, jak obrączka wślizguje się na jej serdeczny palec.

Ponti, w szarej marynarce, z siwymi baczkami, uśmiechał się szeroko, odsłaniając zęby. Dobrze znała ten uśmiech, który Carlo pokazywał, żeby ukryć emocje albo uchylić się przed złośliwą ciekawością obcych ludzi, standardowy uśmiech mający udobruchać dzikie bestie z prasy, zawsze gotowe kąsać, by wywołać zakłopotanie. Podczas ceremonii obecni byli Alex Ponti, syn Giuliany, przystojny chłopak o świetnej prezencji, siostra Maria i stary przyjaciel Basilio Franchina.

Nie było Romildy, która została we Włoszech, ponieważ bała się latać samolotem.

— Widzisz, mamusiu? Nie wierzyłaś, a mnie się udało. Jestem teraz panią Ponti. Pobraliśmy się. — Zadzwoniłam do niej do Rzymu, żeby podzielić się dobrą nowiną.

— Tak, ale nie na biało i nie w kościele — odparła.

Dla niej szklanka była zawsze w połowie pusta.

Jej głos, jak często się zdarzało, odpowiadał echem na moje najbardziej sekretne myśli.

Tamtego dnia w Sèvres, w sali ratusza, był tylko jeden akredytowany fotograf, który zrobił oficjalne zdjęcia małżonków. To, że panna młoda jest jedną z najpiękniejszych i najczęściej fotografowanych kobiet na świecie, nie miało żadnego znaczenia.

Miał minąć jeszcze jeden rok, zanim włoski sąd oddalił oskarżenie o bigamię skierowane przeciwko Carlowi Pontiemu.

Kiedy potwierdzono tę wiadomość, Sofia ujrzała, jak podnoszą się kraty więzienia, które przez dziewięć lat odgradzały ich od wolności, wykluczając jako uciekinierów z normalnego życia.

Na tę myśl ogarnęło ją przeczucie: czy w przyszłości pojawi się jakieś inne więzienie, które odbierze jej wolność?

Wzruszeniem ramion Sofia odpędziła dręczącą ją myśl. Nic nie odbierze jej radości, że wreszcie czuje się wolna u boku swego męża – Carla Pontiego.

PRAGNIENIE MACIERZYŃSTWA

Niektóre baśnie są gorzkie, nie zawsze zdarza się *happy end*, który ogrzewa serca widzów, pozwalając im wierzyć w lepszą przyszłość.

Cofnijmy się do roku 1964, kiedy na ekrany weszło *Małżeństwo po włosku*, arcydzieło Vittoria De Siki z Marcellem Mastroiannim w wybitnej formie i Sophią Loren, która zagrała Filumenę Marturano w nadzwyczajny sposób, godny aktorskiej sztuki Titiny De Filippo, dla której Eduardo napisał tę komedię.

Jest to historia byłej prostytutki Filumeny, która zostaje kochanką Domenica Soriana, a następnie stałym punktem w jego życiu, opiekując się domem, starą matką i jego interesami. Filumena, szukając rekompensaty, udaje, że jest bliska śmierci, aby nakłonić Domenica do ślubu, ale ten unieważnia potem małżeństwo. Wtedy Filumena wyciąga ostatnią kartę: ma trzech synów, którzy wychowali się z dala od niej. Jeden z nich (ale nie wiadomo który) jest synem Domenica. Tylko w ten sposób jest w stanie przekonać mężczyznę, by się z nią ożenił i dał nazwisko wszystkim trzem – nie wyjawiając, który z nich jest jego dzieckiem.

Pośród uśmiechów i prawdziwych łez Sofia obdarzyła swoją postać niezwykłą wiarygodnością, głęboko się w nią wczuwając. Wszyscy, którzy ją znali, wiedzieli o jej miłości do dzieci.

Opowiadała o tym również Pilar, żona „Księcia" Johna Wayne'a, mająca meksykańskie korzenie. Podczas przerwy w zdjęciach do *Legendy zaginionego miasta* kobietę uderzyło zachowanie Sofii, która zachwycona spędziła kilka godzin obok kilkumiesięcznej dziewczynki, po to tylko, żeby cieszyć się, patrząc na jej karmienie, zabawy i drzemkę. „Urodziła się, żeby być mamą", skomentowała z sympatią i podziwem Pilar, przyzwyczajona do stylu matek z Hollywood, które od samego początku powierzały swoje potomstwo opiece nianiek.

Poronienia Sofii otoczone są aurą poufności. Na pewno przeszła dwa, ale mogło być ich też cztery.

W 1966 roku zaczęła zdjęcia do filmu *Był sobie raz* z Omarem Sharifem, koprodukcji włosko-francuskiej Carla Pontiego dla Metro-Goldwyn-Mayer.

Film, którego akcja rozgrywa się w południowych Włoszech, powstał na motywach *Pentameronu* Giambattisty Basilego. Jest to nieco trywialna baśń, w której na plan pierwszy wysuwa się mnich Giuseppe da Copertino oraz osioł wydalający z siebie złote monety. Bohaterką jest przepiękna kobieta z ludu, niezwykle biegła w sztuce kulinarnej, która rozkochuje w sobie księcia granego przez Sharifa. Aktor był bardzo pożądany przez różne produkcje, ponieważ cieszył się nadzwyczajnym powodzeniem na całym świecie po roli w *Doktorze Żywago*, wyprodukowanym również przez Carla Pontiego.

W trakcie zdjęć Sofia dostała potwierdzenie, że jest w ciąży. Zatrwożona myślą o kolejnym poronieniu powiedziała Pontiemu, że zależy jej na dziecku i nie wróci już na plan. Potwierdził to również ginekolog, który prowadził drugą ciążę Marii: Sofia dla bezpieczeństwa powinna zostać w łóżku. Takie poświęcenie nie przerażało jej, ponieważ była silnie zmotywowana.

Carlo nie spodziewał się tego. Miał nadzieję, że po niedawnej traumie poronienia Sofia zrobi sobie dłuższą przerwę przed kolejnym zajściem w ciążę.

Realizacja filmu została wstrzymana. Sofia położyła się do łóżka i nie wstawała nawet na posiłki. W ciągu dnia pozostawała nieruchoma przez wiele godzin i pozwalała sobie na przeczytanie kilku stronic książki, opierając głowę na poduszkach. Towarzystwa dotrzymywała jej Ines, która czytała jej gazety.

Mimo zachowania ostrożności w połowie czwartego miesiąca ciąży w nocy zaskoczyły ją skurcze, niemal bóle porodowe. Trafiła do szpitala, cierpienie się nasiliło, ale nie pojawił się jeszcze krwotok, który miał potwierdzić utratę dziecka. Po wielu godzinach, kiedy cierpienie sięgnęło zenitu, nastąpiła interwencja lekarska. Wraz z utratą krwi po raz kolejny oddalała się nadzieja, że zostanie matką.

Sofia była wyczerpana. Mówiono, że powinna pogodzić się z myślą, iż nigdy nie będzie w stanie wydać na świat dziecka.

Jakie więc będzie jej życie? Czemu służyły poświęcenia, żeby zbudować wspaniałą karierę, jeśli nie może zostać matką?

Wróciła na plan, kiedy tylko stało się to możliwe, wcielając się z zaangażowaniem w postać Isabelli, wieśniaczki zakochanej w Omarze Sharifie. Przynajmniej na ekranie happy end był zapewniony.

Żeby podnieść ją na duchu, nie wystarczały wspomnienia niedawnych sukcesów. Nie wystarczało przypomnieć sobie gorące przyjęcie przez Rosjan na Festiwalu Filmowym w Moskwie. Sofia została tam zaproszona z innymi włoskimi aktorami, wśród których znalazł się Alberto Sordi. Ludzie rozpoznawali ich, prosili o uśmiech, uścisk dłoni.

Włochom komunistyczna Rosja wydawała się innym światem, z powodu surowości, braku towarów i wygód, ujęła ich jednak uprzejmość i wyrazy sympatii, jakimi ludzie spontanicznie ich obdarzali.

Film *Małżeństwo po włosku*, za który dostała nagrodę aktorską, został zaprezentowany publiczności festiwalu w języku oryginalnym bez napisów, ale przy zastosowaniu dziwnej metody przekładu. Wywołując efekt, jaki łatwo sobie wyobrazić, tłumacz ukryty za ekranem wypowiadał dialogi wszystkich aktorów, niezależnie od ich płci.

Jakiś czas potem, w pewnej willi w Umbrii w okolicach Spoleto, w trakcie towarzyskiej biesiady ten dziwny epizod przywołał Alberto Sordi, z charakterystyczną dla siebie komiczną werwą.

W Moskwie tęsknota za domem, ale przede wszystkim za dobrą, śródziemnomorską kuchnią doskwierała grupce włoskich filmowców, aż wreszcie poruszona Sofia zaprosiła ich do swojego hotelowego apartamentu na spaghetti z prawdziwym, neapolitańskim sosem pomidorowym, bazylią i oliwą extra vergine, którą woziła zawsze ze sobą, podobnie jak makaron z mąki durum.

Mała kompania zjawiła się wcześnie w hotelu, wkroczyła do apartamentu Sophii Loren i opanowała go pośród gwaru i śmiechu.

Sordiemu ciekła ślinka na myśl, że wkrótce spróbuje pysznego spaghetti. Celowo zjadł mało na obiad, żeby zrobić sobie wyżerkę, ale zaczął się niepokoić, bo nigdzie nie widział ani garnka z wodą, ani rondelka z sosem.

Zaciekawiony rozejrzał się dookoła, aż z ulgą usłyszał, jak Sofia mówi, że idzie sprawdzić, czy woda wrze.

Sofia weszła do łazienki i dopiero wtedy Sordi dostrzegł jedyne miejsce, jakie znalazła, żeby umieścić na nim kuchenkę elektryczną i garnek z wodą na makaron: były pięknie ustawione na zamkniętej klapie od sedesu. Biednemu Sordiemu przeszła ochota na spaghetti, ale nie miłość do Sofii.

HUBERT DE WATTEVILLE

Widząc Sofię tak bardzo przygnębioną, zamkniętą w sobie, serdeczna przyjaciółka zaproponowała jej, żeby pozwoliła się zbadać mieszkającemu w Genewie ginekologowi, niejakiemu Hubertowi de Watteville'owi.

– Możesz mu zaufać, jest dyrektorem kliniki położniczej w szpitalu kantonalnym...

Sofia potrząsnęła głową, wzruszając ramionami.

Przyjaciółka nalegała.

– Jest profesorem na uniwersytecie, prawdziwym luminarzem.

– Tytuły mnie nie przekonują! – odparła cierpko Sofia.

– *À propos* tytułów, pochodzi z jednej z nielicznych szwajcarskich rodzin szlacheckich...

– I co mnie to obchodzi? Zwracałam się do tylu ginekologów, włoskich, amerykańskich, nawet do jednego Jugosłowianina...

Sofia wybuchła płaczem. Dziecko, maleństwo, które mogłaby trzymać w ramionach, było wszystkim, czego pragnęła. Nie to co

Adelina, która wciąż zachodziła w ciążę, żeby nie trafić do więzienia! Ona nie była normalną kobietą, była sztuczna, nie umiała zostać matką. Przyjaciółka pogłaskała Sofię, po czym zaczęła przemawiać do niej czule, jak do dziecka.

– To człowiek dosyć szorstki, małomówny. Ale to porządna osoba, świetny lekarz, który bierze sobie do serca trudne przypadki.

– Dlaczego? Czyżby był miłosiernym samarytaninem? Czy też zadowala go ktoś, kto płaci? – ironizowała Sofia agresywnym tonem.

– Nie, to człowiek, który zna cierpienie kogoś, kto pragnie dziecka, a nie jest w stanie zostać rodzicem. Widzisz, on nie ma dzieci...

– Jeśli nie zdołał dokonać cudu ze sobą i z własną żoną, chcesz, żeby ze mną mu się udało? Przecież wiesz, że mam ustalone spotkanie z przeznaczeniem! Po trzech i pół miesiąca zawsze tracę dziecko!

Sofia znów zaczęła płakać. Była załamana.

Jednak pod wpływem nalegań przyjaciółki jej waleczny temperament znów wziął górę i ustaliła spotkanie z doktorem de Watteville'em.

Lekarz zbadał ją i nie znalazł żadnych obiektywnych przeszkód uniemożliwiających doprowadzenie ciąży do końca. Zalecił jej, pozornie wbrew wszelkiej logice, żeby przez cztery miesiące zażywała pigułkę antykoncepcyjną. Sofia bardzo się wahała, ale w końcu postanowiła posłuchać.

De Watteville sprawdził jej poziom estrogenów i stwierdził ich niedobór. W trakcie leczenia siostra Maria przekonała Sofię, żeby spędziła z nią trochę czasu w Salsomaggiore na kuracji termalnej.

Gorące źródła siarkowe i okłady z błota. Przebywali tam cho-
rzy na reumatyzm, artretyzm, zapalenie kaletki maziowej, wszyscy w oczekiwaniu na polepszenie stanu zdrowia. Ale dla Sophii
Loren było to też miejsce związane z wieloma wspomnieniami.

Był rok 1950 i w Salsomaggiore po raz pierwszy odbywał się finał
wyborów w konkursie Miss Italia, organizowanym jeszcze przez
Dina Villaniego, zanim przekazał berło swojemu następcy Enzowi
Miriglianiemu.

3 września Sofia Scicolone miała skończyć szesnaście lat. Wysoka, szczupła, długie nogi podkreślone przez niewinny, dwuczęś-
ciowy kostium z tamtych czasów, wyjątkowa twarz o wydatnych
kościach policzkowych, rozświetlona przez jasne, dziewczęce
oczy, które lśniły niczym dwa zielone klejnoty.

Enzo Mirigliani mówi, że zawsze sprawiała mu przyjemność
myśl, iż mały wkład w karierę Sofii miał konkurs – dodaje wszakże
pewną ciekawostkę. Konkurs przysłużył się jej także dzięki reakcji,
jaką młodziutka dziewczyna wykazała się przy tej okazji.

„Dino Villani opowiedział mi o rozzłoszczonej Scicolone, tak
zagniewanej, że budziło to wręcz czułość, z powodu przegranej. Za
każdym razem kiedy wspomina się o udziale aktorki w konkursie
Miss Italia, wszyscy zastanawiają się, jak możliwa była negatywna
ocena jury. A przecież złożone było z ważnych nazwisk, zasiadali
w nim mediolański producent filmowy Mambretti, potężny im-
presario Remigio Paone, dziennikarz Orio Vergani. To właśnie
ten ostatni ujawnił, dlaczego została odrzucona. »Była za wysoka,
tyczkowata, wydawała się źle zbudowana, miała za duże usta«".

Podczas trwania kuracji w Salsomaggiore Sofia wspominała z uśmiechem tę ocenę, która tak ją zraniła: „Pomyśl, Mario,

właśnie te defekty, które wytykali mi jurorzy, zadecydowały o moim powodzeniu".

Enzo Mirigliani wspomina jeszcze, że Sofia była pocieszana przez jurorów, którzy odrzucili ją w rywalizacji o tytuł Miss Italia.

– Co chcesz robić? – zapytali dziewczynkę. – Umiesz śpiewać, chcesz tańczyć, grać w teatrze dialektalnym? A może w rewii?

– Albo kino, albo nic – odpowiedziała.

Po jakimś czasie, dodaje Mirigliani, pisarz Giuseppe Marotta, zawiedziony z powodu porażki Sofii, którą sklasyfikowano na czwartym miejscu, zastanawiał się: „Ile lat miała ta perła rodziny Scicolone? Chyba niespełna szesnaście". Nabokov, autor *Lolity*, dostałby drgawek, to znaczy ataku epilepsji, gdyby był członkiem jury.

Giuseppe Marotta: dla Sofii było to jedno z nazwisk towarzyszących jej karierze. Wybór jego felietonów z „Corriere della Sera" stał się kanwą dla filmu *Złoto Neapolu*, który w 1954 roku nakręciła z Vittoriem De Sicą.

Podczas jednego z leniwych i przyjemnych spacerów po parku hotelu w Salsomaggiore Sofia przypomniała Marii, że Marotta za czasów jej wczesnej młodości pozwolił jej poznać duszę Neapolu.

Opowiadał o wielkiej nędzy i szlachetności prawdziwego Neapolu. Trochę się śmiałaś, trochę płakałaś, kiedy rysował ci zabawny, choć gorzki portret miejskich zaułków i biednych suteren.

Neapol, cudowne miasto! Mimo że jako dzieci, kiedy byłyśmy wysiedlone, cierpiałyśmy tam z Marią głód, pozostaje w moim sercu wraz z Vittoriem, Totò i Eduardem De Filippo.

Dokładnie miesiąc po powrocie do Rzymu Sofia zachodzi w ciążę. Zawiadomiła Carla Pontiego, który przebywał właśnie w Londynie, a on natychmiast przestraszył się kolejnego poronienia. Następnie zadzwoniła do doktora de Watteville'a, który pospieszył do Rzymu, zbadał ją i kazał wracać do Genewy, gdzie Sofia wybrała hotel w pobliżu gabinetu ginekologa.

Lekarz zasugerował jej, żeby pozostała w łóżku przez cały okres ciąży. Sofia wyznała, że aby oszczędzić jej nadmiernego niepokoju, który mógł zaszkodzić ciąży, de Watteville przepisał jej środek uspokajający o bardzo silnym działaniu, jako że nigdy wcześniej go nie stosowała. Dlatego też początkowo Sofia spędzała dużo czasu, śpiąc, pod czułą i oddaną opieką Ines Bruscii.

W czasie ostatnich miesięcy ciąży, kiedy niebezpieczeństwo utraty dziecka było już niemal zażegnane, Sofia zaczęła krzątać się po kuchni w towarzystwie wiernej Ines. Zrodziła się z tego książka *W kuchni z miłością*, napisana we współpracy z Basiliem Franchiną i wybitnym gastronomem, dziennikarzem i pisarzem Vincenzem Buonassisim.

We wstępie Sofia pisze, co następuje:

Wiosna, lato, jesień 1968 roku. Przebywałam w Genewie jako dobrowolnie uwięziona w apartamencie na osiemnastym piętrze hotelu Intercontinental.

Bardzo często opadające mgły zasnuwały miasto pod moimi oczami i zdawało mi się, że jestem zawieszona w niebie, w świecie zamieszkanym tylko przeze mnie. Przeze mnie i przez moją wielką nadzieję, która pozwalała mi pokonać nudę odosobnienia. Lekarze powiedzieli, bym unikała wszelkiego wysiłku, a ja skoncentrowałam całe moje życie na jedynej rzeczy, która mnie obchodziła: urodzić dziecko.

Sofia uruchomiła wszystkie wspomnienia z dzieciństwa, z podróży po całym świecie, a także nauki wielu znakomitych kucharzy, wypróbowywała nowe przepisy. Książka, która się z tego zrodziła, „jest mi droższa – wyznała Sofia – od udanego filmu, bo odsyła mnie do tamtych dni pełnych niepokoju, po których urodził się Carlo junior, największe szczęście mojego życia".

Szczęście, które objawiło się około piątej rano 29 grudnia 1968 roku, kiedy de Watteville wyprowadził Sofię bocznym wyjściem z hotelu Intercontinental, żeby zawieźć ją do szpitala, gdzie w wyniku cesarskiego cięcia przyszedł wreszcie na świat Carlo junior, któremu dodano jeszcze imiona: Hubert – na cześć dokonującego cudów lekarza, i Leone – imię ojca Carla Pontiego.

Carletto stał się sławny na całym świecie pod przydomkiem Cipì. Dopiero teraz Maria Scicolone wyjawia, że Cipì nie jest właściwą wymową. W rzeczywistości w rodzinie nazywany był „Cippi", co stanowi inicjały imienia i nazwiska: Sofia i jej mąż Carlo śmiali się, kiedy widzieli przekręcony ukochany przydomek syna, ale nie uczynili nic, żeby dowiedziała się o tym prasa.

Narodziny syna gwiazdy oczekiwane były przez setki dziennikarzy i fotoreporterów, którzy przywitali Sofię oklaskami, kiedy na szpitalnym łóżku przewożona była w ich obecności z małym Carlem w ramionach.

U jej boku byli Carlo Ponti i doktor de Watteville, wzruszeni i szczęśliwi.

Sofia wyglądała przepięknie. Radość z macierzyństwa służyła jej bardziej od jakiegokolwiek oświetlenia najlepszych operatorów, z jakimi kiedykolwiek pracowała.

Cztery lata później, po ciąży znów spędzonej w łóżku, 6 stycznia 1973 roku, Befana* przyniosła Sofii w prezencie drugiego syna Pontich – Edoarda.

---

* Stara wróżka Befana tradycyjnie w Święto Trzech Króli obdarowuje włoskie dzieci prezentami.

BASILIO FRANCHINA

Basilio Franchina uwielbiał Sofię. Znał ją od czasów, kiedy stawiała pierwsze kroki w świecie kina.

Odwołał się do swojej przyjaźni i kultury, żeby wspierać młodą kobietę, która została powierzona jego opiece przez Carla Pontiego. Znawca historii, współpracował przy scenariuszach do wielu filmów, w tym do *Upadku Cesarstwa Rzymskiego*.

Swoją serdeczną obecnością zastępował Pontiego, troszcząc się o Sofię, kiedy Carlo nie mógł jej towarzyszyć na zagranicznych planach filmowych, jak w Hiszpanii, czy też podczas najważniejszych wydarzeń, od Anglii do Stanów Zjednoczonych, od Wenecji po Londyn i Nowy Jork. Dyskretny i uważny, podpowiadał aktorce, jak ma się zachowywać w obliczu szturmujących ją tłumów dziennikarzy.

To on był człowiekiem, który mógł najlepiej określić charakter gwiazdy. Portret, jaki nakreślił, jest uderzający, ponieważ odsłania najmniej znane cechy aktorki.

„Za młodu była bardzo nieufna wobec otaczających ją ludzi. W pewnym sensie bała się ich. Im większe odnosiła sukcesy, tym bardziej zastanawiała się, dlaczego właśnie jej się to przytrafia, i nie potrafiła sobie tego wytłumaczyć".

Co zmieniło się w charakterze Sofii po narodzinach synów? Według Basilia w miarę jak stawała się dorosła, Sofia zaczęła analizować i odpędzać swoje lęki, które sięgały korzeniami czasów dzieciństwa i pierwszej młodości. W pewnym sensie Sofia zdawała sobie sprawę, że nigdy nie żyła życiem zwykłej dziewczyny.

Najpierw ograniczona przez trudności rodzinne i brak ojca, potem naciskana przez ambicję potwierdzenia rozgłosu i sukcesu. Również nauka języków narzuciła jej żelazną dyscyplinę: wstawała około czwartej rano, o piątej uczyła się angielskiego, o szóstej francuskiego, o siódmej była na planie – pod warunkiem że mogła sobie pozwolić na tak opóźnione przybycie. W przeciwnym razie, jeśli film tego wymagał, musiała już być gotowa do charakteryzacji o piątej trzydzieści. Jeśli ktoś się zastanawia, dlaczego Sophia Loren chodzi tak wcześnie spać, odpowiedź jest prosta: ponieważ wstaje o takich godzinach, które zwykli śmiertelnicy przeznaczają na sen.

Potem nastąpiła gonitwa, żeby realizować jeden film za drugim. Poza tym musiała być nieustanną podporą dla rodziny – Romildy i dla siostry Marii, której zastępowała ojca i matkę. Dopiero w Carlu Pontim Sofia odnalazła siłę i wsparcie. Wraz z przyjściem na świat dzieci lęki i podejrzliwa natura Sofii uległy złagodzeniu.

„Po urodzeniu Carla juniora – opowiadał Basilio – a potem Edoarda Sofia stała się bardziej tolerancyjna w stosunku do innych i poruszała się z większą swobodą w dżungli kina, unikając pułapek, na które często się natykała... Pomagały jej w tym również być może jej zdolności parapsychologiczne. Jej przeczucia były często tak silne, że gdyby wierzyła w nie w pełni, ustrzegłaby się niektórych złych przygód".

Czy Sophia Loren naprawdę wykazywała szczególną wrażliwość w przewidywaniu wydarzeń?

Ona wciąż to bagatelizuje, ale trudno zaprzeczyć, że istnieją epizody, które to potwierdzają.

SZÓSTY ZMYSŁ SOFII

Dziś Sophia Loren nie potwierdza, że posiada szósty zmysł. Natomiast w biografii A.E. Hotchnera, czyli nieco ponad trzydzieści lat temu, przyznawała, że jest czarownicą. Dobrą czarownicą, obdarzoną odrobiną magii.

Na pytanie, czy to prawda, że przewidziała pożar, który wybuchł w Paryżu w luksusowym penthousie przy avenue George V, dzisiaj, w cichym, ciepłym i wygodnym apartamencie w Genewie mówi wyłącznie o faktach, nie zaś o poprzedzającym je niepokoju.

Nie, nie miałam żadnego przeczucia. Miałam tam apartament, przy avenue George V, i wybuchł pożar. Ogień podchodził do góry, coraz wyżej, przerażający, więc schroniliśmy się na dachu, ja, moi synowie, guwernantka Minnie i Ines. Potem uratowali nas strażacy.

To tak, jakby na najbardziej intymne aspekty złożonej osobowości Sofii spłynęło coś w rodzaju lodowatego zawstydzenia. Pozornego ochłodzenia, ustanawiającego dystans między racjonalnością, która wciąż ją prowadzi, szczególnie w ostatnich latach, kiedy zabrakło obecności Carla, a bardziej młodzieńczą wrażliwością na to, co nieokreślone, na tajemnicze przekazy docierające do niej poprzez znaki, które tylko ona jest w stanie rozszyfrować.

Jakże odmienna jest jej opowieść o tym odległym popołudniu 1978 roku.

Każdego popołudnia Sofia miała zwyczaj zapalać zapachową świecę w salonie paryskiego apartamentu, którą potem Ines gasiła przed pójściem spać.

Tamtej szczególnej nocy, leżąc już w łóżku, Sofia poczuła impuls, żeby wstać i pójść do salonu. Zobaczyła, że tym razem Ines nie zgasiła świecy. Kiedy Sofia na nią dmuchała, miała przerażającą wizję: ujrzała ścianę ognia, podnoszącą się i pochłaniającą wszystko, wydzielając żar nie do wytrzymania.

O świcie Sofię obudziły gorączkowe okrzyki, zagłuszone przez wrzask: „Pali się! Pali się!".

Była przerażona płomieniami, które unosiły się z pierwszych pięter budynku, i dymem odbierającym oddech. Obudziła guwernantkę Minnie i Ines, razem owinęły dzieci w ręczniki i uciekły na dach po zewnętrznych schodach, na które dostały się dzięki temu, że Sofia rozbiła butem szybę jednego z okien. Na koniec na ratunek przybyli strażacy.

Te płomienie i dym, którym się podtruła, przewidziała kilka godzin wcześniej.

Były inne przypadki, potwierdzające wrażliwy temperament artystki. Przeczuła między innymi poważne włamanie do willi w Marino, a także próbę porwania w Hampshire House w Nowym Jorku, które zagroziło życiu małego Carla.

Były to przeczucia, które nie wywoływały jednak stosownych zapobiegawczych działań asekuracyjnych. Sofia ograniczała się do osłaniania się obronną tarczą przed wścibskim okiem prasy, która wciąż ją obserwowała z uwagi na jej ogromny międzynarodowy rozgłos. Jej postawa polegała na ogólnej rezerwie oraz na innych taktykach, takich jak dementowanie i przemilczanie.

Jak często się zdarza, przyczyna tego, co złe, siedzi w nas samych: gdyby Sofia nie była tak sławna, nie przyciągałaby zainteresowania prasy, które często zamieniało się w ataki, a czasami w bezpodstawne kłamstwa, powodując, że aktorka z coraz większą niechęcią wypowiadała się publicznie.

W latach siedemdziesiątych Carlo Ponti został oskarżony o ogromne oszustwo podatkowe, co odbiło się na Sofii, którą z kolei podejrzewano o to, że nie mogła nie wiedzieć, co się wokół niej dzieje.

Jednym ze skutków oskarżenia był przymusowy całonocny postój na lotnisku Fiumicino, gdzie celnicy zatrzymali ją przed wylotem do Paryża, przeszukując bagaże aktorki. Choć nie postawiono jej żadnego oficjalnego zarzutu, była przesłuchiwana, ponieważ istniało podejrzenie, że przewozi nielegalnie walutę.

Dopiero o świcie pozwolono Sofii opuścić lotnisko. W ślad za nią ruszyli dziennikarze, którzy przybyli pospiesznie na łakomą wiadomość, że Sophia Loren została zatrzymana przez lotniskową policję, ale ona, pod deszczem fleszy, osłaniała się licznymi *no comment*, zachowując godność i dostojny wygląd po tej męczącej nocy. Pokrzepiająca była obecność adwokata Golina, którego wezwała, by jej towarzyszył, oraz Ines Bruscii.

Ten epizod był tylko zapowiedzią dużo poważniejszego i bardziej bolesnego wydarzenia, z jakim jeszcze przyjdzie jej się zmierzyć.

Tymczasem kariera Sofii musiała skonfrontować się ze zmieniającymi się czasami. Przemianom ulegało tło społeczne, a w konsekwencji także gust publiczności.

LIZ I BURTON

Kłopoty Carla Pontiego spotęgowały się w trakcie realizacji filmu *Skrzyżowanie Kassandra* w 1976 roku, w którym Loren miała partnerów o wielkim prestiżu i sławie, między innymi Richarda Harrisa, Avę Gardner, Burta Lancastera, Ingrid Thulin, a nawet O.J. Simpsona, który po latach stanie przed sądem pod zarzutem zabójstwa żony i jej młodego kochanka.

Była to superprodukcja podpisana przez Pontiego we współpracy z sir Lew Grade'em, w reżyserii George'a Pan Cosmatosa. Szacowna obsada, z plejadą głośnych nazwisk, których sława nie uchroniła dwojga z nich przed oskarżeniem o uwikłanie w afery Carla Pontiego.

Również *Podróż*, film z 1974 roku, zrealizowany na podstawie noweli Luigiego Pirandella z 1928 roku, wystartował z wielkimi ambicjami. Głównym bohaterem męskim miał być słynny i utalentowany aktor Richard Burton.

Była to mroczna historia Adriany, wdowy po bracie Cesare Braggiego, która podczas pierwszej i ostatniej podróży swojego życia z Palermo do Wenecji odkrywa przed śmiercią, że kocha szwagra i jest przez niego szaleńczo kochana.

O wielkim domu, będącym owocem wyobraźni sycylijskiego pisarza, w którym mieszkała piękna i skromna wdowa Adriana, jej dzieci oraz szwagier Cesare Braggi, Pirandello pisał, że pod nieobecność mężczyzny, „cisza, która stała się głębsza, była taka, jakby zawisła nad domem jakaś wielka, nieznana katastrofa".

Jest to zdanie dobrze oddające klimat, jaki panował na planie, kierowanym przez De Sicę dotkniętego ciężarem choroby płuc, z której nie mógł wyjść.

Sofia dostrzegała ten ciężar za każdym razem, kiedy patrzyła na Vittoria. Darzyła tego człowieka nadzwyczajnym uczuciem, na które składały się wdzięczność, szacunek i miłość córki do ojca. Kiedy Vittorio zdawał się blednąć i zginał się z bólu, Sofia czuła ukłucie w sercu, jakby przeczucie bliskiego końca.

Jej uwagę odwracał czasem Richard Burton swoimi miłosnymi udrękami i radościami. Były to dni, kiedy on i Liz Taylor zrozumieli, że ich namiętność dobiega kresu.

W okrutnej grze miłości-nienawiści Liz wezwała go do siebie przed operacją, jaką miała przejść w Los Angeles w celu usunięcia cysty macicznej. Potrzebowała jego wsparcia, jego pomocy, bez niego na pewno by umarła. On opuścił Włochy i poleciał, żeby być przy niej, Liz nie umarła, a on po tej niezwykle męczącej, trzydniowej wyprawie wrócił na plan.

W obliczu tego aktu miłości Sofia przyjęła rozpaczliwą prośbę Richarda, który chciał raz jeszcze spróbować pojednania, i zaprosiła Liz do Marino.

Maria Scicolone poznała przepiękną Liz i Richarda Burtona właśnie w willi w Marino i przedstawia ich bardzo intymny portret, wykraczający poza klasyczną ikonografię sław.

„Dużo pili, ale nie chcieli, żeby rzucało się to w oczy. Sofia, która znała tę ich słabość, trzymała jednak na widoku wielką butlę szampana i wydała służbie polecenie, żeby jej nie otwierać z obawy, że para gości się upije. Butelka pozostawała zamknięta, przynajmniej pozornie, ale szampan znikał w oczach. Tajemnica ta miała proste wyjaśnienie".

W rzeczywistości otworzyli szampana, opowiada Maria, który bardziej wyglądał na małą beczkę niż butelkę, i przez rurkę wypili alkohol aż do ostatniej kropli, opróżniając butlę w ciągu dwóch albo trzech dni.

Piwnica Pontich była znakomicie zaopatrzona, godna unikalnej oprawy, w jakiej została urządzona, w labiryncie rzymskich katakumb, nad którymi wyrastała willa.

Czy to z winy szampana, czy też innych trunków, w każdym razie w salonie w Marino państwo Burton dostawali ataków wściekłości. *Kto się boi Virginii Woolf?*, w którym Taylor i Burton grali parę nieustannie skłóconych małżonków, było tylko złagodzoną wersją ich prawdziwego życia. Liz odprawiła Richarda Burtona nie po raz pierwszy i nie ostatni: ich miłość zatoczyła koło.

Plotki jak zawsze doszukały się kulis zakończenia ich związku. Według dziennikarzy winę za to ponosiło oczarowanie Richarda piękną włoską partnerką, która je odwzajemniała, żeby odpłacić pięknym za nadobne Carlowi, mającemu romans z Dalilą Di Lazzaro.

Niektórzy bliscy przyjaciele Richarda zadęli w plotkarskie trąby, opowiadając, że sam Richard, zwany Dickiem, użalał się w szekspirowskich tonach, niezdolny wybrać między dwiema pięknościami, w których był zakochany. „Co począć, och, co począć z tymi dwiema kobietami!"

Wyjawił to przyjaciel Larry Barcher, dodając, że Burtonowi zależało, żeby wiedziano, iż uczucie do Liz i do Sofii nie jest wyłącznie romantyczne.

Dołączyły do tego inne pogłoski, ujawniające rywalizację między dwiema gwiazdami, wzmocnioną tym, że Liz zdołała sprzątnąć Sofii sprzed nosa dwie role, oferując się producentom za połowę ceny, jakiej żądał dla Sofii Ponti.

Na tak bardzo roztrąbioną sensację o mającym 69.42 karata diamencie Liz Sofia zrewanżowała się docinkiem, który dotykał jednej z największych miłości amerykańskiej gwiazdy: kolekcjonowania – poza mężami – także klejnotów.

> Kamień został zaproponowany mojemu mężowi, zanim kupił go Burton. Carlo ocenił go i uznał, że jego wartość jest niższa od żądanej ceny. Uwierzcie mi, on naprawdę zna się na biżuterii i drogich kamieniach.

Richard Burton, syn walijskiego górnika, wysoko trzymał sztandar dżentelmenów, opowiadając potomnym, że w nocnej rzeczywistości szedł do łóżka z Liz, zaś w dziennej fikcji z Sofią: „To nieźle jak na kogoś, kto pochodzi z brudnych trzewi ziemi...".

Para Burton – Loren spotkała się jeszcze, żeby nakręcić telewizyjny remake filmu Davida Leana *Spotkanie* i Sofia wyznała, że po sześciu miesiącach pracy z Burtonem zrodziła się między nimi wielka zażyłość, dlatego bardzo łatwo było znów być razem na planie. Film nie odniósł jednak sukcesu, a wręcz oceniony został tragicznie. Krytyka wypominała Burtonowi, że za dużo uśmiecha się do Sofii i że „musiała bardzo mu się podobać", skoro zgodził się, on – taki utalentowany i sławny – zagrać w tego rodzaju produkcji.

Według pisarza Melvyna Bragga, autora biografii Burtona, również Loren ujawniła swój słaby punkt. Kiedy w filmie Sofia wypowiada kwestię: „Nie mogę opuścić mojego męża, żeby żyć z tobą", miała w oczach „prawdziwe łzy", za pozwoleniem Carla seniora.

Jeśli chodzi o Taylor, która przy okazji rozwodu oczyściła kieszenie Burtona, przyznała się potem do swojego uzależnienia od alkoholu, co wcześniej było ukrywane przed prasą.

„Miałam straszliwy dar – wyznała – idąc w zawody, byłam w stanie zepchnąć każdego pod stół, sama nigdy się przy tym nie upijając. Moja pojemność, jeśli chodzi o picie, była przerażająca. Nie zdawałam sobie sprawy, że jestem alkoholiczką, dopóki nie trafiłam na dwa tygodnie do Betty Ford Center. Sam fakt, że się nie upijałam, nie znaczył wcale, że się nie trułam".

Po odprawie, jaką dała mu Liz, załamany Burton kontynuował zdjęcia do *Podróży*.

W Wenecji przesłoniętej gęstą mgłą, oczekiwana przez Richarda Sofia wysiadła z gondoli na Riva degli Schiavoni, razem przeszli pod mostem della Paglia, a tymczasem Vittorio De Sica reżyserował ich owinięty w płaszcz, który wraz z beretem osłaniał go przed chłodem i melancholią.

To właśnie De Sica po zakończeniu zdjęć wygłosił coś w rodzaju odezwy, którą cytuję za Ludovicą Damiani: „W chwili kiedy seks i przemoc z jednej strony, a odwrócenie się publiczności z drugiej zdają się rosnąć w postępie geometrycznym, dzisiejszy sukces *Podróży* i *Tacy byliśmy*, czy wcześniej *Ogrodu Finzi-Continich*, pokazuje, że istnieje przestrzeń dla kina, które wychodząc naprzeciw pewnym wymogom popularności i widowiskowości, odrzuca najbardziej pospolite chwyty. I w gruncie rzeczy najłatwiejsze". Był rok 1974, a *Podróż* była ostatnim filmem nakręconym przez De Sicę.

Sophia Loren niezmiernie cierpiała po odejściu Vittoria. Opowiada o swoim przejmującym pożegnaniu, w nocy, w pokoju paryskiej kliniki, gdzie leżał, zanim zabrano ciało na uroczystości pogrzebowe.

Sofia była świadoma straty: wraz z nim odchodziła część jej triumfalnej młodości, kiedy podbiła świat prowadzona jego reżyserską ręką w *Matce i córce*.

Wraz z jego sztuką znikała też ironia, czułość, optymizm, którymi zjednywał sobie przyjaciół, kolegów, publiczność i krytykę.

DNI WIĘZIENIA

Carlo Ponti był pod obserwacją policji podatkowej jako podejrzany o nielegalne wywożenie funduszy poprzez niewłaściwe użycie subsydiów rządowych. Jakby tego było mało, był także oskarżony o oszustwa podatkowe dotyczące pracy wykonywanej we Włoszech.

Tymczasem Sofia poszerzyła swoją obecność o świat reklamy, kręcąc za astronomiczne wynagrodzenie spot reklamowy dla Hondy, pokazywany tylko w Japonii, co często robiły międzynarodowe sławy, między innymi Alain Delon i Catherine Deneuve.

Pewnego dnia nagle dwie furgonetki wypełnione policjantami zatrzymały się przed willą w Marino.

Obydwoje małżonkowie Ponti byli w domu i nie przeciwstawiali się wtargnięciu stróżów prawa, którzy przedstawili nakaz sądowy wystawiony przez Paolina Dell'Anno: policjanci rozpierzchli się po całym budynku i przeszukiwali każde pomieszczenie.

Sporządzono inwentarz wszystkich wartościowych rzeczy, od cennych mebli po obrazy z kolekcji Pontiego, w której skład wchodziło sporo ważnych obiektów sztuki współczesnej i nowoczesnej, a także malowidła z XVII i XVIII wieku. Jednocześnie dokonywano rewizji w rzymskich biurach producenta w poszukiwaniu kompromitujących dokumentów i ewentualnych dowodów.

Wtargnięcie do willi w Marino przypomniało Sofii wdarcie się fanatyka o nazwisku Apolloni, który podawał się za prawdziwego męża aktorki i ojca małego Carla.

Sofia właśnie zorientowała się, że jest w ciąży z Edoardem, i postanowiła po przeżytym szoku oczekiwać drugiego dziecka w Genewie, miejscu dużo bezpieczniejszym od Marino.

Podejrzenia i myśl o skrywanych prawdach zdawały się ją pochłaniać. Wydarzenia zaczęły gwałtownie przyspieszać. We Francji prasa oskarżała Pontiego, że kiedy został obywatelem francuskim, aby uzyskać rozwód i ożenić się z gwiazdą, nakłonił potem Sofię do ponownego przyjęcia obywatelstwa włoskiego, próbując w ten sposób uciec przez fiskusem francuskim.

Jest rok 1978: sędzia Paolino Dell'Anno wydaje nakaz doprowadzenia Carla Pontiego w związku z domniemanymi nieprawidłowościami związanymi z produkcją w 1976 roku filmu *Skrzyżowanie Kassandra*, w co wplątani mieli być również Richard Harris i Ava Gardner, którzy skorzystali z nieprawidłowości, jakich dopuścił się Ponti.

Ava, która już raz sparzyła się na mężu w połowie Włochu, Franku Sinatrze, teraz znalazła się w kłopotach przez włoskiego producenta. Od tamtej pory, kiedy już wydobyła się z tych tarapatów, rzuciła się w nowe romanse, a jednym z ostatnich i najbardziej gwałtownych okazał się związek z George'em C. Scottem, który bił ją za wszelkie przejawy nieposłuszeństwa. W wieku sześćdziesięciu siedmiu lat zubożała Ava zmarła w Londynie na zapalenie płuc.

Dla Sofii zbliżało się spotkanie z przeznaczeniem, które miało zaprowadzić ją, gwiazdę kochaną i podziwianą na całym świecie, za kraty włoskiego więzienia.

Włochy się zmieniły. Odległe były czasy przemytników papierosów, takich jak Adelina, której wystarczyło zajść w ciążę, żeby uniknąć więzienia. Teraz nie było już tak prosto, nawet kobiecie, wymigać się od kary w obliczu wyroku.

Na aktorkę spadła cała seria oskarżeń: pierwsze dotyczyło handlu dziełami sztuki, jakiś czas potem Sofia otrzymała kolejne zawiadomienie sądowe. Miała stawić się przed sądem w Palermo, ponieważ film *Angela*, historia o podtekście edypowym, oskarżony został o obsceniczność.

Ale najgorsze miało dopiero nastąpić.

W 1982 roku Sofia została skazana na siedemnaście dni więzienia za uchylanie się od płacenia podatków. Aktorka tłumaczyła się, przypisując winę swojemu doradcy podatkowemu. Być może słusznie, bo pracownik nie był ścisły ani w kwestii rachunków, ani w kwestii prawa i nie dał jej do podpisania prośby o umorzenie, co mogło wyciągnąć ją z kłopotów, tylko dokument, w którym przyznawała się do swojego błędu.

Kiedy Sąd Kasacyjny skazał ją w sposób definitywny na odbycie kary w więzieniu i zapłacenie dwunastu milionów lirów grzywny, Sofia nie miała wielkiego wyboru. Albo nie wrócić nigdy do Włoch i zostać uciekającą przestępczynią, albo przyjechać i zmierzyć się z karą pozbawienia wolności.

Sophia Loren przyleciała do Fiumicino 21 maja 1982 roku, gotowa odbyć karę w więzieniu w Casercie.

Prasa brukowa skupiała się na najbardziej powierzchownych aspektach sprawy, zastanawiając się, czy aktorka będzie miała makijaż i w co będzie się ubierała za kratkami: w prostą bluzeczkę i spódnicę, buty na płaskim obcasie? Ona, która zszokowała Liz Taylor, kiedy przyjęła ją w willi w Marino ubrana w stroje i dodatki od Diora, zakładając nawet rękawiczki? Ona, która miała bajeczną garderobę i pozowała najsłynniejszym fotografom dla „Vogue'a" i „Bazaaru"?

Pomijając prasowe błahostki, pozostawał prawdziwy dramat Sophii Loren, międzynarodowe upokorzenie, wstyd i ból z powodu ataków przypuszczanych na nią w wielu bezlitosnych artykułach. Pośród tylu winnych, którzy wciąż bez przeszkód unikali płacenia podatków, ona przynajmniej zmierzyła się ze swoją winą i karą. Tak myślał tłum, który tłoczył się wokół niej, bijąc brawo, obejmując ją, podając bukiety kwiatów.

Maria Scicolone posępnieje na wspomnienie okresu spędzonego przez siostrę w więzieniu. Traci jasny uśmiech również, kiedy mówi o odległych dramatach, jakie przeżyła osobiście, i wzdycha, rozpościerając nad swoimi wspomnieniami zasłonę wstydu.

„Kiedy tylko Sofia znalazła się w więzieniu, pojechałam do Caserty i znalazłam tam lokum, żeby być blisko niej, choć nie mogłam cały czas z nią przebywać. Bałam się, że w więzieniu może stać się coś złego. Sofia czuła się źle. Poddała się woli prawa, choć czuła się niewinna, świadoma, że jej interesami zarządza mąż.

Nie możesz stać się i pozostać Sophią Loren – kontynuuje Maria – bez niesamowitej siły ducha. Nie możesz utrzymać sukcesu w rękach, a wręcz w ramionach, ponieważ sukces można trzymać w ramionach, ale tylko pod warunkiem że zdołasz odeprzeć nawet najsilniejsze zewnętrzne naciski. Sofia na pewno nie jest osobą, która nie zna negatywnych aspektów życia. Ona wie, co może zrobić, zawsze wiedziała i zawsze będzie wiedziała".

Kiedy Sofia wyszła z więzienia, zajmowały się tym wszystkie tytuły prasowe, donosząc szczegółowo, że wstała o świcie, o piątej trzydzieści, wzięła prysznic i wypiła cappuccino. Nikt jednak nie wiedział o jej atakach klaustrofobii, o potrzebie oddychania w miejscu, które nie zamykałoby się za nią niczym potwór próbujący ją pożreć.

Idąc jak zwykle swoim dostojnym, królewskim krokiem, stawiła czoło kamerom telewizyjnym i aparatom fotograficznym. Zmierzyła się z pytaniami dziennikarzy, a w jednym z dzienników telewizyjnych wyznała:

Były to bardzo długie, niekończące się dni.

To doświadczenie bardzo mnie wzbogaciło, bo kiedy rozglądasz się po pomieszczeniu odgrodzonym kratami, z drzwiami, które zamykają się za tobą, a ty nie masz klucza, żeby je otworzyć, staje się to niezapomnianym przeżyciem.

Praca pozwala jednak złagodzić bolesne wspomnienia. Na Sofię czekał kolejny film. Był to wybór, którego dokonała bez konsultacji z mężem. Reżyserować miała genialna Lina Wertmüller, a tytuł był bardzo długi – z tych, które podobały się reżyserce: *Miracoli e peccati di allegria di Santa Tieta de Agreste*. Historia była oparta na powieści Jorgego Amado i zapowiadała się obiecująco, ale Sofia wycofała się w ostatniej chwili, zanim wybuchł skandal z finansującym film Bankiem Ambrozjańskim. Roberto Calvi powiesił się pod mostem Czarnych Braci w Londynie, zabierając ze sobą tajemnicę własnej śmierci.

Na Pontich czekał kolejny problem. Państwo przejmowało sto pięćdziesiąt sześć dzieł sztuki Carla, zajętych przed laty przez straż celno-podatkową. Były to obrazy Giacoma Balli, Morandiego, Francisa Bacona, Picassa, Modiglianiego, o wartości pięciu miliardów lirów, których cena dzisiaj, po przewalutowaniu na euro, byłaby dużo wyższa.

KOCHANKI & OKOLICE

Dzięki długiej karierze aktorki wielbiciele Sophii Loren mieli wrażenie, że dobrze ją znają. Na ekranie niczego nie ukrywała: cierpienie i radość wyrażała ekspresją twarzy, sposobem poruszania się. Dla widzów stała się niemal członkiem rodziny, za sprawą czasu i całego wachlarza postaci, w jakie się wcieliła.

Ludzie myśleli również, że są dobrze poinformowani w sprawach jej życia prywatnego. Prasa zajmowała się komplikacjami ze ślubem w Meksyku, rozpisywała się o skandalu z bigamią, o rozwodzie Pontiego, o małżeństwie zawartym we Francji. Znana była odyseja, jaką musiała przejść aktorka, żeby zostać matką. Wszyscy zaczytywali się zachłannie w szczegółach oczekiwania na narodziny małego Cipì, a potem Dodò, małego Edoarda.

Znane były podróże Loren, skandale finansowe, jej garderoba, rodzaj makijażu, ulubione przepisy kucharskie, jeden temat pozostawał jednak tabu: jak wyglądały prawdziwe stosunki między Sofią a Carlem Pontim?

Wiele plotkowano o zagranicznych gwiazdorach, którzy zakochiwali się w Sofii. Czy to prawda, że pozostawała obojętna na ich awanse? Czy równie dużo prawdy było w krążących po filmowych salonach pogłoskach na temat przygód Carla?

W czasie trwania związku, a potem małżeństwa z Sofią pojawiały się pewne nazwiska kobiet, które plotka łączyła z Carlem, wśród nich szczególnie dwa: Marilù Tolo i Dalila Di Lazzaro.

Nie miało znaczenia, czy były brunetkami czy blondynkami, biorąc pod uwagę zwyczaj zmieniania naturalnego koloru włosów z powodów zawodowych, miały jednak dwie wspólne cechy: wszystkie były przepiękne i miały jasne oczy, co stało się lejtmotywem towarzyszącym kobietom, które zagrażały związkowi między Carlem a Sofią.

Inną młodą aktorką, do której czuł namiętność Carlo, miała być Julie Christie, grająca w *Doktorze Żywago* – jednym z największych sukcesów producenta.

Angielka, drobna blondynka o zmysłowych ustach i jasnych włosach, była typem nordyckim, przypominającym May Britt. W środowisku filmowym zaczęto szeptać, kiedy Ponti wybrał ją do roli Lary. Ludzie myśleli, że była to decyzja podyktowana sprawami łóżkowymi i że na poły nieznana aktorka nie będzie w stanie udźwignąć postaci i dorównać Omarowi Sharifowi, swojemu partnerowi w tej superprodukcji, opartej na powieści laureata Nagrody Nobla Borysa Pasternaka, do której Ponti kupił prawa dzięki przyjaźni z wydawcą, Giangiacomem Feltrinellim.

Tymczasem Christie była naprawdę urodzoną aktorką, a Ponti miał nosa do talentów, o czym świadczy nominacja do Oscara dla najlepszej aktorki w filmie *Darling*, który wszedł na ekrany cztery miesiące przed *Doktorem Żywago*.

Przy dźwiękach niezapomnianego „tematu Lary" para Christie i Sharif w saniach sunących po śniegu rozbudzała marzenia widzów na całym świecie i podnosiła milionowe wpływy do tego stopnia, że film niemal dogonił *Przeminęło z wiatrem*, królujące na liście *box office*.

W pierwszej chwili Ponti myślał, żeby powierzyć rolę Lary Sofii, ale ona zajęta była na innym planie filmowym. Mówi się też, że to reżyser David Lean wolał od niej Christie. Pozostaje faktem, że sukces filmu odpłacił dźwięczącą monetą za wybór producenta.

Marilù Tolo urodziła się w Rzymie w styczniu 1944 roku. Była prześliczną dziewczyną – wysoką jak modelki w dzisiejszych czasach – naturalną blondynką o błękitnych oczach, która przefarbowała włosy na kruczoczarne. Była narzeczoną młodego krawca, przystojnego jak aktor filmowy, który miał zostać jednym z najsłynniejszych stylistów świata: Valentina Garavaniego.

Marilù była jedyną dziewczyną przedstawioną przez Valentina matce i dziennikarzom. Pozował z nią w swojej pracowni, stanowili parę, która podobała się żeńskiej publiczności i pozwalała marzyć o ślubnych kwiatach. Była jedyną dziewczyną łączoną z nazwiskiem młodego Valentina, który potem związał się szczęśliwie z Giancarlem Giammettim.

Podczas intensywnej kariery, trwającej od początku lat sześćdziesiątych do lat osiemdziesiątych, Tolo, której prawdziwe imię brzmiało Maria Luisa, zagrała w dwudziestu czterech filmach, a wśród nich w słynnym *Małżeństwie po włosku*, gdzie wcieliła się w postać kochanki Marcella, budzącej gwałtowną zazdrość Filumeny Marturano.

W rzeczywistości Sofia była świadoma, że Marilù pociąga jej męża, i pod płaszczykiem życzliwej pobłażliwości potrafiła ustawić młodą aktorkę na właściwym miejscu. Zaprosiła ją do swojej garderoby, posadziła naprzeciw siebie, przyglądając się jej w milczeniu przez niekończące się minuty, a potem – patrząc na nią krzywym okiem – powiedziała, że owszem jest ładna, ale może stać się piękniejsza, jeśli zetnie włosy na krótko i zacznie się inaczej malować. Złośliwi sugerowali, że pod wpływem tych rad wizerunek Marilù mógł ulec wyraźnej zmianie, i to nie na lepsze.

Na tyle tylko, żeby odciągnąć od niej uwagę Carla Pontiego, tak samo jak to się stało w wypadku młodej i wyzywającej kasjerki z *Małżeństwa po włosku*, która została wyeliminowana z gry przez rozzłoszczoną Filumenę.

Marilù Tolo, która na początku kariery mieszkała w pobliżu domu Romildy i Marii przy via Ugo Balzani, poślubiła potem producenta filmowego Roberta Velina i – wciąż piękna – dzieli swoje życie między Paryż, Saint Moritz i Miami, górskie wille i luksusowe domy.

Insynuacje i plotki – zresztą zdementowane, choć wiele lat później – dotyczyły też przepięknej Dalili Di Lazzaro. Wysoka blondynka o jasnozielonych oczach, przezroczystej skórze, piękna jak amerykańska gwiazda, urodziła się w Udine. Jej ojciec był eksbokserem, a także znakomitym kucharzem, co Dalila wyznała dziennikarzowi związanemu z branżą rozrywkową Cesare Lanzy.

W okresie dzieciństwa Dalila przeżyła straszliwe doświadczenia – w wieku pięciu lat została zgwałcona przez krewnego. W wieku piętnastu lat zaszła w ciążę z siedemnastoletnim chłopakiem, w wyniku czego urodził się ukochany Christian, który niestety zginął bardzo młodo w wypadku drogowym.

Po urodzeniu dziecka i poślubieniu jego młodego ojca Dalila została modelką, zjeżdżając całe Włochy. Mężczyźni nie zostawiali jej w spokoju, wszyscy chcieli ją uwieść. Mając siedemnaście lat, znów staje się ofiarą potwornego gwałtu.

Po nieskończonej serii kłopotów dociera w końcu do Rzymu, skąd jednak szybko ucieka, przerażona bogatym i zepsutym środowiskiem, w którym królują narkotyki.

W wieku dziewiętnastu lat zbliża się do świata filmu i spotyka bogatego i sławnego producenta, męża słynnej na całym globie gwiazdy.

„Carlo Ponti był moim Pigmalionem" – przyznaje Dalila Di Lazzaro. Mężczyzną, który za sprawą udzielanych rad i opieki był dla niej jak ojciec, podobnie jak niegdyś w wypadku Sofii (ciekawe jest to ojcowskie powołanie producenta). Dalila zawsze jednak zaprzeczała, jakoby między nią a Pontim istniał związek miłosny.

Kręci dzięki niemu kilka filmów, krąży między Rzymem, Nowym Jorkiem a Londynem. Poznaje Andy'ego Warhola, Eltona Johna, Jacka Nicholsona, a przede wszystkim Richarda Gere'a, który jak Cary Grant dla Sofii traci w Rzymie głowę dla Dalili, ale który – w przeciwieństwie do Granta – nie prosi jej o rękę.

Jej kariera mogła potoczyć się znakomicie, gdyby tylko Dalila była bardziej ambitna i zdeterminowana. Odrzuciła rolę dziewczyny Bonda w *Nigdy nie mów nigdy* i na jej miejsce wybrano Kim Basinger; w zamian za to wspomina z przyjemnością *Och, Serafina!* z Renatem Pozzettem.

Chociaż sam Ponti i Dalila Di Lazzaro zawsze zaprzeczali pogłoskom o ich związku trwającym dziesięć lat i zakończonym, kiedy Dalila miała lat dwadzieścia dziewięć, pozostaje pytanie, jak Sophia Loren reagowała na krążące na ten temat plotki.

Coraz bardziej dotkliwe doniesienia raniły ją, ale nigdy ich nie skomentowała. Możemy w tym dostrzec jeszcze jeden przejaw charakteru Sofii. Mimo że jest zdecydowany i wybuchowy, jeśli chodzi o energię i siłę ducha, gwiazda potrafiła zawsze kontrolować swoją zazdrość i temperament w obliczu publiczności i prasy.

Jeśli to prawda, że zaciekle zmagała się ze swoim południowym instynktem, gotowa walczyć jak lwica w obronie własnego terytorium, jest również prawdą, że nigdy nie uzewnętrzniała zazdrości, nigdy się nie mściła, choć mogła to łatwo uczynić, udzielając wywiadów głodnym sensacji dziennikarzom. Nigdy nie zaatakowała swojego męża, mimo że miał on na sumieniu liczne przewinienia.

Dobrze i źle poinformowani mówili o nocnych telefonach, jakie rozbrzmiewały w nowojorskim apartamencie Pontiego, którego użyczył Dalili podczas jej pobytu w Ameryce. Dostała tylko jeden zakaz – żeby nigdy nie otwierać tajemnego pokoju Sofii. Jak w baśni o Sinobrodym Dalila otworzyła zakazane drzwi i ujrzała kolekcję niezliczonych peruk i tupetów, czego wymagała ówczesna moda. Nie było w tym nic dziwnego, jeśli przypomnimy sobie, że w tym samym okresie w Taorminie Elizabeth Taylor pojawiła się z dziesięcioma walizami pełnymi peruk i tupetów różnych rozmiarów.

Powróćmy do nowojorskich nocy: straszliwe obelgi pod adresem Dalili cedził jakiś kobiecy głos, jednak sugerowanie, że należał on do Sofii, jest zbyt daleko posuniętą insynuacją.

Złotą księgę podbojów Pontiego uzupełniały z czasem kolejne nazwiska pięknych kobiet, od Rosarii della Femmina po Antonellę Murgię i Sirpę Lane. Niezależnie od tego, czy chodzi o prawdę czy zmyślenia, pozostaje faktem, że ogólnie rzecz biorąc, władza upiększa i odmładza. A także dodaje wigoru.

A Sofia? Patrząc na listę mężczyzn – aktorów i nie tylko – którzy się do niej zalecali aż do bólu, od zakochanego po uszy Cary'ego Granta po szalejącego z miłości Petera Sellersa, od Roberta Wagnera po Richarda Burtona, to zdaniem jej najbliższych była ona bardziej niewinna od Madonny w grocie. Do tego stopnia, że zdesperowani plotkarze, nie będąc w stanie przypisać jej żadnego wiarołomnego skoku w bok z którymś z najsłynniejszych filmowych symboli seksu, rozpowszechnili wręcz pogłoskę o jej ukrywanym lesbijstwie i podali nazwisko rzekomej kochanki. Na próżno, ponieważ Sofia miała zawsze w głowie jedną tylko myśl: chronić swoją rodzinę i swoją karierę.

Nadarzyła się jednak okazja, kiedy gazety prowadzące kronikę towarzyską były bliskie odkrycia sensacji. Czy było to zasługą szczęśliwego albo bardzo zręcznego fotografa, jakim był Umberto Pizzi, portretujący dla dziennikarza Roberta D'Agostina „używający życia" Rzym? Tak, to właśnie on ujawnił, że w 1978 roku przy Porte Maillot w Paryżu sfotografował Sofię siedzącą w mini minorze, prowadzonym przez tego samego mężczyznę, którego śledził na karaibskiej wyspie Santa Lucia w nadziei, że przyłapie go z aktorką i który w odpowiedzi posłał go na trzy dni do aresztu.

Nie chodzi o to, że Pizzi miał jakoś specjalnie na pieńku z Loren, czy też z jej rodziną; w chwili kiedy ujawnił czasopismu „First", że zrobił zdjęcia Romildy i Romana Mussoliniego: pomijając, czy były kompromitujące czy też nie, zostały zablokowane przez samego Pontiego, zanim tygodnik „Gente" zdążył je opublikować.

Francuz nazywał się Étienne-Émile Beaulieu, był fascynującym lekarzem o młodzieńczym wyglądzie, szanowanym w środowiskach naukowych. Étienne był osiem lat starszy od Sofii. Był żonaty i miał troje dzieci.

Ciekawy przypadek prawa odwetu kierował domniemanym *love story*: mężczyzna, który przekonał Sofię do wyjścia z wieży z kości słoniowej wiernej i niewinnej żony Carla Pontiego, był wynalazcą kontrowersyjnej pigułki poronnej Ru-486.

Dlaczego ciekawy? Sofia była kobietą, która poświęciła wiele lat swojego życia na kuracje umożliwiające macierzyństwo, natomiast on – na wynalezienie środka pozwalającego nie zostać matkami kobietom, które tego nie pragnęły.

Kiedy wybuchła niepotwierdzona sensacja, Ponti i żona Beaulieu zareagowali w różny sposób, jednak z podobną klasą.

Ponti sprawy nie skomentował.

Yvonne Beaulieu wygłosiła tylko jeden komentarz: „Nie dziwię się. Madame Sophia Loren jest przepiękną kobietą. Jakżeby mój mąż mógł się w niej nie zakochać?

Niektóre gazety insynuowały, że Sofia chciała się rozwieść z Carlem Pontim, ale że zrezygnowała z tego zamiaru, kiedy zagroził, że nie pozwoli jej widywać synów.

Mówiono też, że aby uchronić żonę przed pokusami, Ponti nie chciał dłużej pozostawać w Paryżu i dlatego zabrał ją do Genewy. Gadanina stopniowo przycichła. Na prośbę o komentarz na temat Beaulieu Sofia oświadczyła: „To była plotka. Nigdy mnie z nim nic nie łączyło".

DOBRZE JĄ ZNAŁEM

W 1979 roku Sofia rozpoczęła zdjęcia do filmu *Fatto di sangue fra due uomini per causa di una vedova, si sospettano moventi politici*, zatytułowanego krócej po angielsku *Blood Feud**. W obsadzie lśniły nazwiska Marcella Mastroianniego i Giancarla Gianniniego, scenariusz napisała i reżyserowała Lina Wertmüller, a produkowała wytwórnia Warner Bros. Sofia pojawiała się w filmie w kędzierzawej, czarnej peruce i z mocno pomalowanymi oczami. Choć reżyseria i aktorzy stanowili gwarancję powodzenia, dzieło nie spotkało się z przychylnością publiczności.

Tymczasem na Carla Pontiego czyhała kolejna konfrontacja z prawem. Tym razem zarzucano mu nielegalne posiadanie znalezisk archeologicznych, przechowywanych przede wszystkim w willi w Marino: mówiło się między innymi o około siedemdziesięciu etruskich wazach należących prawnie do państwa włoskiego.

---

* Polski tytuł *Krwawa zemsta*.

W tym samym roku Sofia postanowiła zrobić sobie przerwę od kina i poświęcić się promocji swojej biografii napisanej przez Aarona E. Hotchnera. Jej tournée okazało się sukcesem, chociaż nie podpisała się pod zwierzeniami zgromadzonymi przez pisarza, który skarżył się potem, że nie udało mu się przeniknąć przez pancerz chroniący prywatność aktorki.

Hotchner był świadomy, że Sofia nie ujawniła przed nim swoich najskrytszych myśli i że pominęła wiele faktów i sytuacji, które lepiej wyjaśniłyby jej osobowość. Dodał również, że podczas przygotowywania książki nie mógł nigdy zobaczyć Sofii w jej codziennej roli matki szykującej obiad albo na spacerze z dziećmi, podkreślając, że nigdy nie wyszła nawet z pokoju, w którym pracowali.

Nie była to całkiem prawda.

Sofia była matką uważną i obecną, ale zawsze chroniła swoją matczyną miłość przed zewnętrzną ciekawością, niemal tak jakby niepokazywanie się z dziećmi chroniło je przed plotkami zawistników.

Carlo junior miał już dziesięć lat, a Edoardo sześć, kiedy mama Sofia zabrała ich po raz pierwszy do Disney World.

Dorastali, ciesząc się wszelkimi względami. Dzięki bogactwu posyłani byli do najlepszych szkół, podróżowali po całym świecie i kolekcjonowali beztroskie doświadczenia, o których ich matka nie mogła nawet marzyć, kiedy była dziewczynką w Pozzuoli.

A jednak Sofia wspominała z nostalgią swoje dzieciństwo, pielęgnując wciąż w sercu nieskończoną miłość do babci Luisy. To do niej kierowała modlitwy w chwili potrzeby, kiedy oczekiwała pomocy w podejmowaniu decyzji, wsparcia w wysiłku, żeby sprostać wymaganiom swojej kariery. Sofia zwierzała się, że nocą cień *mammy* udzielał jej odpowiedzi, o które prosiła.

Kiedy w wywiadach proszono ją o komentarz dotyczący srogiej postawy wymiaru sprawiedliwości wobec Carla i pytano, czy problemy związane z doniesieniami mogą uniemożliwić jej powrót do Włoch, Sofia odpowiadała z pozornym optymizmem.

Czy wrócę kiedyś do Włoch? Nie wykluczam, jestem nieuleczalną marzycielką.

Odpowiedź ta odsłaniała dużo więcej, niż ona sama by chciała. Spokojny powrót do własnego kraju pozostawał marzeniem, nie rzeczywistością.

Sofia była ikoną elegancji. Stroje Valentina, Diora i innych sławnych krawców oraz kapelusze Jeana Bartheta przydawały jej tej nieosiągalnej aury, która otacza sławy. Ku radości fotografów podróżowała ze spektakularnym zestawem waliz i olbrzymim pudłem na kapelusze, a wszystko to z brązową obwódką i wielkimi inicjałami S.P. – Sophia Ponti.

Poproszono ją także, by firmowała linię okularów, a następnie koncern Coty zaproponował jej milionowy kontrakt za nazwanie jej imieniem perfum, w których zapachu dominowały róże i jaśmin. Reklama z jej twarzą zawładnęła więc środkami komunikacji, gazetami i telewizją w Stanach Zjednoczonych.

Obydwie inicjatywy stały się znakomitym chwytem komercyjnym. Jej sława była znakomitą zachętą do zakupu, rozbudzając w zwykłych kobietach ambicję, aby upodobnić się do aktorki w wyborach dotyczących stylu.

Wyniosła i chłodna w wielu serwisach fotograficznych, Loren pozowała takim mistrzom jak Richard Avedon, ale zachowywała wdzięczność dla fotografów, którzy przyczynili się do wzrostu jej sławy.

W sposób szczególny pozostała przyjaciółką rzymianina Angela Frontoniego, króla via Sistina, drobnego blond elfa o błękitnych oczach, który wielbił kobiecą urodę, a zwłaszcza Sofię.

Na przestrzeni lat Frontoni rozebrał dla czasopism ilustro-
wanych i dla „Playboya" najpiękniejsze aktorki swoich czasów,
ale zawsze był gotowy rzucić wszystko, żeby towarzyszyć Sofii
z Rzymu do Paryża czy Londynu.

W Genewie Angelo, którego dyskrecji aktorka ufała, był jedynym włoskim fotografem dopuszczonym do robienia zdjęć
Sofii w jej willi luksusowo urządzonej złoconymi konsolami, lu-
strami z epoki, kanapami obitymi czerwonym adamaszkowym
aksamitem.

Pozwolenia takiego udzielono wcześniej wielkiemu Eisenstaedtowi, który fotografował ją w willi w Marino.

Na zdjęciach z tamtych czasów, dla podkreślenia urody kobiet
należących do świata artystycznego, konieczna była biegłość fotografów we właściwym ustawianiu świateł i używaniu sprzętu
fotograficznego.

Zdjęcia dzisiejszych młodych aktorek są często sprowadzane
do jednego modelu dziewczyny z kalendarza i tak ujednolicone,
że trudno je od siebie odróżnić. Buzie gładkie jak u dziecka, za-
mazany owal twarzy, piersi nadmuchane, pośladki wyrzeźbione:
triumf Photoshopa, mody, która osiągnęła już granice groteski.

Fotograf Bruno Oliviero wspomina ze wzruszeniem swoje
spotkanie z Sophią Loren, które miało miejsce pod koniec lat
osiemdziesiątych. W jego fotograficznym albumie były już Virna
Lisi, Brooke Shields, Claudia Cardinale, Catherine Deneuve – kobiety niezwykłej urody i wielkiego profesjonalizmu.

Oliviero poznał Sofię na planie filmowym i to on odłożył na
później sesję fotograficzną, czekając na moment, kiedy aktorka

będzie do dyspozycji. Po kilku dniach, świeża i wypoczęta, Sofia pozowała mu do zdjęć.

„Prawdziwa gwiazda, w przeciwieństwie do tego, co się sądzi, jest przystępna i prostoduszna. Sofia emanuje urokiem, który uważam za jedyny w swoim rodzaju. Polega on na pewnym naddatku, jaki powinny mieć wszystkie kobiety: zależy on od tego, jak żyłaś, od zaangażowania, jakie włożyłaś w osiągnięcie celu, na ile pozostałaś pokorna. Sofia jest elegancka w sposobie poruszania rękami, jej twarz ma fantastyczny półprofil".

O innej, nieznanej stronie Sofii opowiada Massimo Leonardelli, piarowiec, mający korzenie w Basilicacie i w Trydencie, po studiach w szwajcarskim Zugerbergu, pracujący potem w Rzymie. Od dawna znał Marię Scicolone i podczas jednej z rozmów dowiedział się, że Sophia Loren bardzo kocha postać Jana Pawła II i pragnie odwiedzić grób papieża.

Leonardelli zorganizował wizytę Sofii z pewną trudnością, biorąc pod uwagę jej ogromną popularność.

Kiedy dotarli do Watykanu, przy wejściu obok kościoła Świętej Anny wszyscy zwiedzający wołali do niej głośno „Sofia! Sofia!", dodając do tego komplementy we wszystkich językach świata.

Gdy znaleźli się przy grobie Jana Pawła II, Leonardelli zobaczył, jak Sofia klęka i pogrąża się w głębokiej medytacji. Modliła się, nie poruszając wargami. Dla Sofii i jej towarzyszy był to niezapomniany dzień.

Co za papież... Papież Wojtyła jest jak ojciec. Zawsze miałam dla niego nieskończony podziw. Jego postać wpłynęła na wszystkich, a ostatnie lata życia zbliżyły go do wierzących, a także do niewierzących.

W portrecie nakreślonym przez Leonardellego Sofia jest kobietą obdarzoną wielką wrażliwością, ponieważ mimo osiągniętego sukcesu cierpienie, mające swe źródło w dzieciństwie, nigdy jej nie opuściło.

Uderzająca jest jej prostota – cecha, którą dostrzega się w wielu aspektach jakże odległych od zwyczajów innych gwiazd. Sofia nie ma biura prasowego ani sekretarki, co dzisiaj bywa normą nawet u początkujących aktoreczek, również tych najmniej zdolnych. Towarzystwa w Genewie wciąż dotrzymuje jej uwielbiana Ines Bruscia.

Jeśli dzwonisz do niej do domu, a ona nie chce z tobą rozmawiać – Leonardelli uśmiecha się na to wspomnienie – Sofia zmienia głos.

Pewnego razu odbiera kobieta, on jej nie rozpoznaje i przedstawia się: „Mówi Massimo Leonardelli", a wtedy ona swoim prawdziwym głosem odpowiada: „A kogo to obchodzi!" – wybuchając gromkim śmiechem.

„Widziałem ją jeszcze w Nowym Jorku – kontynuuje Leonardelli – w domu syna Edoarda, który zadebiutował jako młody aktor u boku matki w *Aurorze*, a potem został reżyserem i w 2002 roku pracował z nią i z Gérardem Depardieu przy filmie *Pośród obcych*. Łączy ich silna więź, przy czym uderzająca jest matczyna duma wyraźnie widoczna w zachowaniu Loren".

Na znak tego, jak bardzo powszechna jest jej sława, gdziekolwiek się pojawi jako gość, od Europy po Amerykę, publiczność przyjmuje ją owacją na stojąco, najbardziej luksusowe hotele świata podejmują ją z różnego rodzaju honorami. Jedynym, który zadedykował jej apartament z tabliczką *Suite Presidenziale Sophia Loren*, jest rzymski hotel Exedra. Apartament o powierzchni stu osiemdziesięciu metrów kwadratowych jest elegancko urządzony, ma jasną wykładzinę, kanapy obite czarną i brązową tkaniną, i gości aktorkę za każdym razem, kiedy ma ona na to ochotę podczas pobytu w stolicy.

„Zdarzyło mi się właśnie w tym apartamencie – opowiada Leonardelli – zobaczyć *Dom na łodzi* z Carym Grantem, a ona, siedząc obok mnie na kanapie, odśpiewała niesamowitym głosem piosenkę z filmu, przyprawiając mnie o wzruszenie, którego nigdy nie zapomnę".

Leonardelli konkluduje następującą refleksją: „Inne gwiazdy źle skończyły, jedni piją, inni biorą narkotyki. Ona kładzie się do łóżka o ósmej, jeśli nie o siódmej trzydzieści, a wstaje o piątej, szóstej.

Zabawnie jest obserwować siostry Marię i Sofię, kiedy są razem. Wybucha na przykład sprzeczka, a potem obie przyznają sobie rację. Przydałby się film, żeby pokazać ich relację.

Sofia ma niewielu przyjaciół, ale zna świat, a raczej – świat zna ją.

Nie tak dawno, we Florencji, Carlo Ponti junior otrzymał nagrodę w teatrze Maggio Fiorentino. Na widowni, gdzie zasiadła Sofia, był również pewien prałat, który wstał i zwrócił się do niej: »Proszę wybaczyć, pani nie wie, kim jestem, ale panią znają wszyscy. Jestem arcybiskupem Florencji i chciałem panią pozdrowić«".

Słuchając jej przyjaciół albo osób, które z jakichś powodów się z nią zetknęły, odnosi się wrażenie, że wszyscy są zgodni co do jednego: jej wewnętrznej prostoty.

Może się to wydawać sprzecznością: jak tego rodzaju prostota mogła przetrwać w kontekście prawdziwego, autentycznego gwiazdorstwa, którego jest ona jednym z niewielu żyjących przykładów?

Kiedy widzi się ją w bajecznych kreacjach na czerwonym dywanie przeznaczonym dla wybrańców, którzy przemierzają go pośród oklasków oszalałego tłumu powstrzymywanego przez barierki, oglądaną przez miliony telewidzów na całym świecie, zastanawiamy się, czy Sofia stała się ponadczasową ikoną za sprawą zachowanej przez dziesięciolecia formy, a może także dzięki stylowi łączącemu, często w mieszance sprzeczności, wymogi popularnego wizerunku osoby sławnej z elegancją, który – żeby takim być – musi poddać się rygorowi minimalizmu.

Na to pytanie może odpowiedzieć tylko twórca jej strojów, tych codziennych i tych na wielkie gale, inna gwiazda znana na całym świecie: Giorgio Armani.

SOFIA WEDŁUG GIORGIA ARMANIEGO

Oczy Giorgia Armaniego o barwie lodu rozpalają się niezwykłym światłem czułej zażyłości, kiedy mówi o swojej przyjaźni z Sophią Loren.

„Po raz pierwszy zobaczyłem ją na lotnisku Heathrow w *lounge*'u British Airways, w apaszce na głowie i w wielkich okularach, które na próżno próbowały maskować jej tożsamość. Potem spotkaliśmy się w Mediolanie przy okazji jednego z moich pokazów. Podczas kolacji im dłużej na nią patrzyłem, tym wydawała mi się piękniejsza. Kochając kino na najwyższym poziomie, dostrzegłem w niej rzadki magnetyzm, charakteryzujący wielkie gwiazdy".

Chociaż Sofia miała wzrost prawie jak modelka i była nieco szczuplejsza, niż widać to na zdjęciach, była kobietą o pełnych kształtach i ubranie jej zgodnie z surowym stylem Armaniego mogło być problemem. „Nie było to trudne – uśmiecha się – ponieważ Sofia jest kobietą inteligentną, która umie słuchać, lubi, kiedy jej się doradza, bez typowej dla gwiazd zarozumiałości. Wystarczy pomyśleć, że uwielbia spódnice, słusznie lubi pokazywać swoje wspaniałe nogi, ale zgadza się także zakładać żakiety ze spodniami, które jej podsuwam, bo ją wyszczuplają i nadają pewien ironiczny ton".

Armani przyzwyczajony jest do najbardziej znanych światowych gwiazd. W jego mediolańskim domu, a także w Londynie i w Nowym Jorku można spotkać, wmieszanych między postaci z Włoch albo damy z arystokracji, George'a Clooneya i Brada Pitta, Clive'a Owena, Leonarda Di Caprio i Toma Cruise'a. Armani ubiera najbardziej wytworne gwiazdy kina, a także gwiazdy pop, jak Jennifer Lopez. Obcowanie z nimi pozwala mu zrozumieć ich prawdziwą osobowość, zdeformowaną często przez pozy, które czasami narzuca wykonywany zawód.

Kiedy Armani podkreśla prostotę Sofii, jest absolutnie szczery, właśnie dlatego, że mógł to stwierdzić przy różnych okazjach. Oto jak wyjaśnia fenomen jej magnetyzmu: „To tak, jakby nasycała powietrze elektrycznością, a jednocześnie była w stanie emanować wciąż nieodpartą naturalnością, również dzięki cudownemu sposobowi poruszania się, który wyróżnia ją spośród tysięcy".

Sofia otworzyła się przed Giorgiem, nie chowając się za zwyczajową rezerwą. Wspomina wieczór w La Scali, na którym pojawili się wspólnie, wzbudzając pełną podziwu ciekawość wielu pań, z których jedna wręcz klęknęła przed Sofią – i nie była ani pierwsza, ani ostatnia, bo w innych miejscach tę samą pozycję przyjęli przed aktorką Tom Hanks i Michelle Hunziker. Armaniemu przypomina się zaciekawione i entuzjastyczne spojrzenie Sofii, która jak dziewczynka odkrywała po raz pierwszy Salę Piermariniego, świątynię mediolańskiej liryki.

Być może pobrzmiewał w pamięci jej serca głos Renaty Tebaldi, która dubbingowała ją w *Aidzie* i przyczyniła się do jednego z jej pierwszych sukcesów.

A może powrócił do Sofii żal, że nie mogła przenieść na ekran historii Marii Callas. Jakże podążała za tą mityczną postacią diwy śpiewu, pewna, że zna jej najskrytszą, dwuznaczną osobowość.

Na próżno – podobnie jak w wypadku Anny Kareniny, niezapomnianej bohaterki Lwa Tołstoja, nieszczęśliwie zakochanej w próżnym hrabim Wrońskim. Pchała ją do tego również Romilda. Byłaby jeszcze szczęśliwsza od córki, gdyby Sofii udało się dać swoje oblicze nowej wersji Kareniny. Właśnie ona, która w młodości też marzyła, by wcielić się w tę postać, idąc śladem Grety Garbo.

Były to tęsknoty, które Sofia potrafiła odepchnąć siłą rozumu i doświadczenia. A jednak w rozmowach z Giorgiem pojawia się pewna szczelina, przez którą przenika jakiś żal.

Wiesz, Giorgio, opowiadasz mi o wyspach, które zwiedziłeś, jeżdżąc po świecie, a ja nie widziałam nic, wciąż tylko pracowałam.

Jeśli chodzi o charakterystyczną dla aktorki rezerwę, Giorgio przez chwilę się zastanawia, żeby znaleźć właściwe słowa, po czym kreśli bardzo precyzyjny portret.

„Sofia ma nieśmiałość gwiazd, które próbują opowiadać o sobie, żeby zadowolić wymagania publiczności, ale które jednocześnie usiłują ukryć i zatrzymać dla siebie najskrytsze myśli. To równowaga bardzo trudna do osiągnięcia". Być może Giorgio Armani myśli również o sobie, dodając: „ale komu to się uda, daje ona gwarancję spokojniejszego życia".

„Z Sofią – kontynuuje Giorgio – spełniając marzenie hipotetycznej reżyserii, nakręciłbym prawdopodobnie jakiś film dramatyczny, wyjmując ją jednak z kontekstu neapolitańskiego czy rzymskiego. Zastanawiam się na przykład, którą rolę mogłaby zagrać w *Roccu i jego braciach*. Reprezentuje ona fizyczność będącą wyrazem życiowej inteligencji, dlatego uwydatniłbym tę cechę w filmie o mocnej treści, ale z pewnym dodatkiem ironii. Gdyby miało chodzić o postać literacką, byłaby Teresą Battistą, bohaterką powieści Jorgego Amado".

Armani jest fascynującym mężczyzną, posiadającym ten genialny, wyrafinowany gust, wyróżniający go nie tylko w kreowaniu mody, która koronowała go na swego „króla", ale także w sposobie myślenia i życia.

Kiedy kreśli portret Sophii Loren, dotyka nieuchronnie uczuć, które poruszają go do głębi. Będąc rówieśnikiem gwiazdy, podobnie jak ona przeżył lata wojny.

Być może postacią, której rolę powierzyłby jej w hipotetycznym filmie, jest kobieta, którą dobrze znał, bezgranicznie kochał, ale przede wszystkim szanował z powodu siły charakteru. Kobieta o temperamencie podobnym do Sofii.

„Moja matka Maria, bardzo piękna, była twarda jak lód. Przybierała pewną siebie postawę, pod którą ukrywała również wielką czułość. Pamiętam, że kiedy byłem mały, widziałem film, który mnie przeraził. Była tam dwójka dzieci, krzyczących w oknie jakiegoś zajmującego się płomieniami domu. Kiedy mama miała wychodzić, wybuchnąłem płaczem, a ona cofnęła się i zapytała: »Co ci jest?« – i uderzyła mnie w twarz. Od tamtej pory nigdy niczego się nie bałem. Moja matka była kobietą, która wychowywała dzieci, łagodząc naszą rzeczywistość, kamuflując ją w ujmujący, niezgodny z prawdą sposób".

Maria Raimondi, młoda i piękna jak aktorka, nie chciała, żeby rzeczywistość ciążyła dzieciom, dlatego ubierała je bardzo elegancko, szyjąc im koszulki i spodenki nawet z płótna uzyskanego ze spadochronów albo z żołnierskich mundurów.

„Ja wciąż wstydzę się dotykać ludzi, ponieważ ona taka była. Była bardzo odważną kobietą, a ja, mój starszy brat Sergio i siostra Rosanna byliśmy podczas wojny mali, potrzebowaliśmy tylu rzeczy, ale były to straszne lata, niebezpieczeństwo czaiło się wszędzie i matka udawała, że jest w ciąży, aby uniknąć zatrzymania przez Niemców".

Portret silnej kobiety, z tych, jakie podobają się Sofii i które na przestrzeni lat osiągały zawsze sukces.

Kto wie, czy pewnego dnia nie pojawi się także Maria, obok Cinzi, Cesiry, Adeliny, Rosy, Filumeny, i wielu innych nadzwyczajnych kobiet, które miały twarz Loren.

FILM I POŻEGNANIA

W marcu 2010 roku, w jednym z oddalonych regionów Kazach-stanu, gdzie udała się z okazji jakiegoś wydarzenia, na lotnisku bardzo silny powiew wiatru przewrócił Sofię, która była już go-towa wylecieć do Rzymu na konferencję prasową filmu *La mia casa è piena di specchi* (Mój dom jest pełen luster).

Upadek spowodował ranę na karku, a aktorka z kompresem z lodu, żeby powstrzymać krew i opuchliznę, musiała ponad trzy godziny czekać w samolocie na odlot z powodu złych warunków atmosferycznych.

Sprawa nie przeniknęła do prasy i po kilku dniach o tej przy-krej przygodzie opowiedziała sama aktorka. W pełnej formie i z uśmiechem.

Choć to prawdziwy koszmar, na pewno zmierzyć się z nim było łatwiej niż z tym, co przytrafiło się podczas podróży z Los Angeles do Nowego Jorku, kiedy Sofię dotknęło to, co media określiły jako zawał serca.

Wyjaśnienia złożył prasie przebywający w Hollywood Carlo Ponti, po tym jak rozpętała się fala insynuacji na temat powodu nagłej niedyspozycji Sofii.

Jeden z dziennikarzy, George Rush, bardziej plotkarski, ale mniej błyskotliwy od pamiętnych żmij z Hollywood: Heddy Hopper i Elsy Maxwell, napisał w „Daily News", że Sophia została umieszczona w szpitalu z powodu zawału serca, który dotknął ją w sali operacyjnej podczas zabiegu chirurgii plastycznej. To oczywiste, że różni mędrcy napiętnowali narażenie życia z powodu aktu próżności.

„To wstyd, że mówi się takie rzeczy! – wściekł się Carlo Ponti. – Kalumniom tym zaprzecza rzeczywistość: moja żona nie potrzebuje estetycznych poprawek!".

Serdeczna przyjaciółka Sofii Anna Strasberg, wdowa po Lee, założycielu legendarnego Actors Studio, podała inną prawdopodobną wersję, która przynajmniej częściowo usprawiedliwiała pochodzenie sensacyjnego doniesienia Rusha.

Na tydzień przed umieszczeniem przyjaciółki w Cornell Medical Center na Manhattanie, oświadczyła Anna, Sofia towarzyszyła jej do chirurga plastycznego Dana Bakera, który leczył ją z żylaków na nodze. Było bardzo gorąco i Sofia wypiła jakiś lodowaty napój, który wywołał silną niedyspozycję.

Z Rzymu również Maria Scicolone powtarzała uporczywie, że siostra lubi mrożone napoje i że wypicie takiego napoju podczas podróży lotniczej, w połączeniu z bardzo zimną klimatyzacją, stało się przyczyną umieszczenia Sofii w szpitalu.

„Rozmawiałam z Sofią przez telefon, była spokojna i pogodna, ja natomiast byłam bardzo poruszona" – opowiadała, gdy tymczasem jej drugi mąż, kardiolog Majid Tamiz, ordynator rzymskiego szpitala Forlanini, udał się do Nowego Jorku z Edoardem Pontim,

żeby zaoferować swoją pomoc medyczną i uspokoić rodzinę. Wyjaśnił on, że nie tylko skok temperatury w samolocie wylatującym
z gorącego Los Angeles był przyczyną kłopotów z sercem, ale
także silny stres, jakiemu poddana była aktorka.

„Dopiero co była w Niemczech, potem ze Szwajcarii pole-
ciała do Izraela, a stamtąd do Los Angeles – komentowali przyjaciele. – To zbyt męczące".

Tymczasem prasa mówiła o arytmii serca, przyjmując hipo-
tezę przynajmniej stanu przedzawałowego.

„Jaka tam arytmia! – oświadczyła krótki czas potem Maria. –
Moja siostra powiedziała mi, że kiedy leciała do Nowego Jorku, poczuła palpitacje. Siostra nigdy się nie oszczędzała. W ciągu jednego
miesiąca, poza oficjalnymi wydarzeniami, wywiadami, przemiesz-
czała się z Ameryki do Europy i z powrotem. Teraz miała lecieć
do Chin. Ludzie myślą, że życie gwiazd usłane jest różami, tymczasem muszą one znosić bardzo silne stresy. Jeśli Sofia w wieku
sześćdziesięciu czterech lat miała chwilę słabości, nie sądzę, że należy się temu dziwić i z tego powodu wyolbrzymiać wydarzenia".

Wiek zdaje się dla Sofii nie liczyć. Czas mija i nie pozostawia znaczących śladów. Przed laty zmianę można było dostrzec
w większej szczupłości, jak w 1977 roku, podczas spotkania Sofii
z księżną Monako. Być może to nasilający się efekt wchodzenia
w wiek średni pozostawiał lekką opuchliznę na przepięknej twarzy Grace, pięć lat przed tragicznym wypadkiem, który odbierze
jej życie; a może przeciwnie — przekroczenie czterdziestki wy-
ryło się na twarzy i figurze Sofii.

W 1994 roku, w wieku sześćdziesięciu lat jest jeszcze kobietą
o promiennym i młodzieńczym wyglądzie, ale nie dzięki ma-
kijażowi czy magicznym możliwościom światła. Po latach ktoś
ponowi atak, insynuując, że w takim stanie utrzymuje ją chirurg

plastyczny, Francuz Rodolphe Troques, mający swój gabinet w Gassin. Sofia nie przyjmie tej krytyki, tylko się uśmiechnie, silna swoim niezmienionym wizerunkiem, który dla uczczenia jej sześćdziesiątych urodzin zostanie raz jeszcze uwieczniony przez Angela Frontoniego. Portretuje ją w sukni z adamaszkowej lamy i w oszałamiającej kolekcji kapeluszy Bartheta, po czym sam fotograf pozuje u boku aktorki ze szczęśliwym uśmiechem na ustach, który wyraża czterdzieści lat przyjaźni i współpracy.

Sofia, ikona elegancji, wspominała niemal z czułością swój pierwszy kontakt ze światem mody. W latach pięćdziesiątych, co było potwierdzeniem jej rozgłosu, została przyjęta przez Salvatora Ferragama w Palazzo Feroni. Jej wizyta we Florencji następowała po odwiedzinach Grety Garbo i książąt Windsoru.

Sofia, młody Kopciuszek, który został księżniczką, podawała stopę panu Ferragamie, który aby wykonać doskonałe pantofle na miarę – stworzył dla niej drewnianą formę, podobnie jak dla Audrey Hepburn, Avy Gardner, Silvany Mangano, Lauren Bacall.

À propos mody, w 1994 roku kino znów się pojawiło przy okazji szczególnej propozycji Roberta Altmana, mistrza długich planów.

Film Prêt-à-porter poświęcony był światu mody, oglądanemu okiem ironicznym i demaskatorskim, za co podziwiano Amerykanina Altmana wszędzie, poza jego własną ojczyzną.

Biorąc na cel stylistów i obłąkany cyrk mody oraz specjalistycznej prasy, Altman wybrał wyjątkową obsadę, w której znaleźli się między innymi Julia Roberts, Tim Robbins i Kim Basinger.

Do ich grona Altman zaprosił też Sophię Loren i Marcella Mastroianniego. On dobiegał siedemdziesiątki, Sofia sześćdziesiątki. W filmie aktor odtwarzał ze swoją ukochaną partnerką scenę z filmu Wczoraj, dziś, jutro. Sofia, jako Isabella De La Fontaine, z ironią, klasą i seksapilem powtarzała striptiz, a on, Sergio, po początkowym, roznamiętnionym zaangażowaniu zapadał w sen.

Jakże wzruszający był ten podstarzały Marcello, który swoją sztuką interpretacji szkicował portret starego donżuana, pogrążonego w melancholii schyłku życia.

Z Marcellem dzieliłam włoski punkt widzenia na życiowe sprawy. Jesteśmy częściami wymiennymi tego samego ciała. Myślę, że spotkałam go w 10 roku przed Chrystusem w Pompejach. On powoził rydwanem, a ja sprzedawałam figurki przedstawiające Penaty przy via Dei. Nie ma takich kwestii, nawet najbardziej ekstrawaganckich, jakich nie można by wymyślić, żeby opowiedzieć o naszej nadzwyczajnej jedności przed kamerą.

W 1998 roku, kiedy Sofia przebywała w szpitalu, a potem przechodziła rekonwalescencję, w Wenecji przyznano jej Złotego Lwa za całokształt twórczości.

W imieniu żony, która nie mogła podjąć męczącej podróży z Nowego Jorku do Włoch, nagrodę odebrał osiemdziesięciosześcioletni Carlo Ponti w towarzystwie synów, Carla i Edoarda. Słowami miłości Ponti wyraził szacunek dla żony aktorki, która stała się ikoną gwiazdorstwa, ale przede wszystkim dla kobiety swojego życia.

Ojciec i synowie wybuchnęli płaczem ze wzruszenia, podzielanego przez całą widownię. Burzą oklasków Wenecja odpłacała się za dobrowolne wygnanie „Włochowi żyjącemu za granicą", jak określał siebie sam Ponti.

Kiedy w 1965 roku Sofia grała u boku Paula Newmana w *Lady L.*, na podstawie powieści Romain Gary'ego, trwająca cztery godziny charakteryzacja postarzała ją do osiemdziesięciu lat. Siwa peruka, posiwiałe brwi, zmarszczki, laska. Uśmiech Sofii, kiedy pozuje do zdjęć jako staruszka, wiele mówi o tym, jak świetnie się bawiła, przeglądając się w lustrze. Dzisiaj, kiedy jest niewiele młodsza od swojej bohaterki, wydaje się córką tamtej staruszki, w jaką zamienili ją mistrzowie transformacji.

Kiedy będę miała osiemdziesiąt lat, wyobrażam sobie moje życie z Carlem, który będzie miał sto dwa lata, z moimi synami i wnukami. Moje życie będzie pełne wspomnień, nie żalu. Będę spełniona dzięki miłości mojej rodziny.

Sofia przewidziała przyszłość, ale w jednym się pomyliła – w czymś, co tak bardzo leżało jej na sercu. Bieg życia Carla zatrzymał się wcześniej. Odszedł w wieku dziewięćdziesięciu czterech lat w szpitalu kantonalnym w Genewie, 10 stycznia 2007 roku. Dziesięć dni wcześniej trafił tam z powodu komplikacji płucnych.

Odkąd nie ma Carla, śpię zawsze przy zapalonym świetle. Wciąż jeszcze nie wydaje mi się prawdą, że nie ma go już obok mnie.

To palące się w nocy światło jest sygnałem.

Cień Carla dotrzymuje jej towarzystwa, we wspomnieniach i w tęsknocie. Pośród mroku wspomnienia i cierpienie stałyby się dla Sofii większą udręką, niemal tak, jakby ciemności były w stanie pochłaniać każdej nocy obecność ukochanego człowieka.

Jakąż samotność pozostawia po sobie utrata ojca, kochanka, ramienia, na którym można się wesprzeć w chwili potrzeby: tym wszystkim był Carlo Ponti. Ileż batalii, wygranych i przegranych, ale zawsze toczonych razem.

Wraz z odejściem ukochanej osoby pamięć wymazuje ból i rozczarowania. Jeśli po stronie Carla zdarzały się zdrady, to gorycz znikała dzięki zażyłości wspólnego życia. Jego utrata to rana, która się nigdy nie zabliźni.

MAMMÀ ROMILDA

Kiedy pytają ją, jak to robi, że pozostaje taka młodzieńcza bez żadnych dostrzegalnych zabiegów, Sofia odpowiada, że tajemnica kryje się w jej DNA.

Mam szczęście. Miałam bardzo piękną matkę. Miała dobrze zarysowaną strukturę kostną, co jest bardzo ważne dla twarzy. Kiedy budujesz dom, musisz mieć dobre fundamenty. Teraz, kiedy przeglądam się w lustrze, coraz bardziej widzę moją matkę. Im bardziej się starzejesz, tym bardziej przypominasz swoich rodziców.

Wiek? Wzięłam to od mojej matki, która świetnie się trzymała. Nie miała *scartiello*.

Jeśli ktoś się zastanawia, co to takiego *scartiello*, tłumaczenie z neapolitańskiego brzmi „garb". Mama Romilda dobrze się postarzała i to prawda, była prosta jak trzcina, a słynne nogi córki były dokładnie takie same jak u matki, która je pokazywała, nosząc krótkie spódnice i kozaki również w zaawansowanym wieku, ze świadomością ich dobrego wyglądu.

W rzeczywistości Romilda przeżyła coś w rodzaju szoku po śmierci Riccarda Scicolonego, która nastąpiła w 1976 roku, tak jakby wyzwoliła się z koszmaru. Wszystko to, czego pragnęła za młodu, a nie mogła mieć, bo zajęta była pogonią za niemożliwą miłością, teraz, w wieku sześćdziesięciu sześciu lat, wydawało jej się dozwolone, przynajmniej w jej wyobraźni.

Romilda spędzała często czas, opowiada Enrico Lucherini, grając w karty w domu Eddy Ciano w dzielnicy Parioli, w towarzystwie aktora i bawidamka Isarca Ravaiolego. Z Eddą przyjaźniła się od czasów, kiedy Maria została żoną Romana Mussoliniego, brata Eddy.

Potem zaczęła bywać w lokalach, ubrana zgodnie z ostatnią modą, w obstawie mężczyzn o połowę od niej młodszych, aż sama Sofia musiała przywołać ją do porządku. Miała powrócić do roli matki aktorki przyciągającej nieustannie ciekawość publiczności i uwagę prasy i fotografów. Miała przestać wystawiać się na krytykę i pojawiać w serwisach fotograficznych publikowanych regularnie na łamach plotkarskich tygodników.

Należało unikać wszystkiego, co mogło wprawić ją w zakłopotanie. Możemy sobie wyobrazić reakcję Romildy na tę zamianę ról: Sofia upominała ją, jak to czyni matka wobec nieco zbuntowanej córki.

A Romilda miała jeszcze siłę, żeby sprzeciwić się reprymendom córki.

Przez sześć miesięcy Sofia rezydowała w Kalifornii, na wspaniałym ranczu położonym w Hidden Valley, około pięćdziesięciu kilometrów od Hollywood.

Z tęsknoty za „najpiękniejszym domem świata", willą w Marino, gdzie nie mogli już spokojnie przebywać z powodu znanych problemów prawnych, Carlo Ponti postanowił rozbudować i upiększyć ranczo, dodając domek dla gości przylegający do kortu tenisowego.

Bliskość rancza w Ichino, gdzie mieszkał Michael Jackson, pozwoliła rodzinie Sofii podtrzymywać piękną przyjaźń z piosenkarzem aż do jego śmierci.

Dla mnie ten chłopiec był jak syn. Kochałam go. Odwiedzałam go często z synami na jego ranczu odległym o niespełna pół godziny jazdy od naszego. Michael źle się czuł w towarzystwie dorosłych, nie kochał świata takiego, jakim my go widzimy. Pozostał dzieckiem i chciał żyć we własnym świecie, świecie dzieciństwa, w którym czuł się bezpiecznie. Swobodny był, przebywając z dzieciakami i osobami takimi jak ja. Bo w gruncie rzeczy ja też nigdy nie dorosłam...

Któregoś dnia Sofia, wróciwszy do Szwajcarii, postanowiła nagle pojechać do Rzymu. Zadzwoniła do siostry, uprzedzając ją o swoim rychłym przybyciu.

Maria, która mieszkała z matką, dwa dni po przyjeździe Sofii wyszła na spacer. Był to jedyny raz, kiedy zostawiła Romildę, ale obecność siostry ją uspokajała.

Matka zmarła w ciągu piętnastu minut. Nie to, żeby była chora, ale rzuciła się na łóżko, a ja wyczułam, że coś jest nie w porządku.

„Pomocy! Niech ktoś przyjdzie!", zaczęłam wrzeszczeć. Kiedy pojawił się portier, zbliżył się do matki, potem spojrzał na mnie i powiedział, że nie żyje.

Gdyby nie ten nagły, niezrozumiały impuls, żeby pojechać do niej do Rzymu, nie byłoby mnie tam i nie zobaczyłabym matki po raz ostatni.

Jestem taka szczęśliwa, że byłam przy niej.

„Kiedy moja matka umarła – opowiada Maria ze ściśniętym gardłem – siedziałam w samochodzie. Sofia powiedziała mi: »Pobędę sześć dni z mamą, jeśli chcesz mieć trochę swobody, ja się nią zajmę«.

Trzy miesiące po jej śmierci przyśniło mi się, że matka wciąż żyje: O Boże, muszę wrócić do tamtego życia... Ogarnął mnie we śnie lęk na myśl, że będę nadal uwiązana w domu, mieszkając z nią, poczułam też trwogę po przebudzeniu i przypomniałam sobie tę myśl, która wydawała mi się niegodna, straszna".

Poczucie winy, wpojone przez Romildę, dręczyło Marię przez całą młodość, a potem dołączyło do niego cierpienie związane ze wspólnym mieszkaniem, bo była jedyną obecną córką, podczas gdy Sofia robiła swoją oszałamiającą karierę.

Z niejaką emfazą Maria udziela sobie przebaczenia za swoje ambiwalentne uczucia: „Moja matka była boginią. Miała posągowe ciało do końca życia, jeszcze w wieku osiemdziesięciu dwóch lat. Zresztą dziadkowie babci Luisy, Apulijczycy, w Pozzuoli nazywani byli *chłopami na schwał* z powodu wyróżniającego ich wzrostu. Również mój dziadek, *Dummì* Villani, był niższy od babci".

„Życie zmusiło mnie, żebym patrzyła na dziś, nie na jutro" – kontynuuje Maria, która chciała wyłożyć swoje wspomnienia czarno na białym, żeby ukoić duszę na drodze tej swoistej autoanalizy. Z tych wspomnień zrodził się film telewizyjny dla Rai Uno, *La mia casa è piena di specchi*, w reżyserii Vittoria Sindoniego, w którym Sophia Loren wcieliła się w postać Romildy, prześliczna i delikatna Margareth Madè zagrała Sofię, Xhilda Lapardhaja Marię, Enzo De Caro ojca Riccarda, a Giovanni Carta Carla Pontiego.

Nie był to pierwszy raz, kiedy Sofia poza tym, że gra samą siebie, zagrała też postać swojej matki Romildy. Zdarzyło się tak już w obrazie z gatunku *biopic*, jak Amerykanie określają filmy biograficzne, zrealizowanym dla Emi-Television, a wyprodukowanym przez pierworodnego syna Carla Alexa Pontiego, który nie osiągnął jednak spodziewanego sukcesu.

Film nosił tytuł *Sophia Loren. Her Own Story* i powstał na podstawie książki A.E. Hotchnera. Sofia miała wtedy czterdzieści sześć lat, była zbyt młoda, żeby celebrować swoje życie na oczach amerykańskiej publiczności, mimo biografii pełnej dramatycznych wydarzeń w okresie dzieciństwa i społecznego awansu, a potem wręcz epickich z uwagi na niewiarygodne wspinanie się po drabinie sukcesu.

Słabym punktem była być może obsada, gdzie Ponti grany był przez wysokiego, przystojnego, obdarzonego bujną czupryną, typowego WASP-a Ripa Torna, Armand Assante wcielił się w nieprawdopodobnego Riccarda Scicolonego (z uwagi na piętnaście lat różnicy w stosunku do granej przez Sofię Romildy), natomiast w Vittoria De Sicę czarujący Edmund Purdom, bardziej znany we włoskich kronikach towarzyskich jako przybrany ojczym Rominy Power.

Cary Grant zdawał się obrażony, widząc, że gra go John Gavin.

Jakkolwiek wyglądałaby prawda, to znaczy – czy rzeczywiście Cary Grant chciał zablokować film – nie ulega wątpliwości, że w wyniku pozasądowej umowy przyznana mu została okrągła sumka dwustu pięćdziesięciu tysięcy dolarów za pozwolenie wykorzystania jego nazwiska. Tu po raz kolejny daje o sobie znać jego pamiętne skąpstwo, jeśli nie zachłanność na pieniądze, jakie mu zarzucano.

Kiedy mam zagrać sceny, w których wcielam się w moją matkę, czuję się dosyć swobodnie. Natomiast czuję się naga, kiedy mam być sobą. Trzęsą mi się nogi i nie ma nikogo, kto mógłby mi powiedzieć, jak zagrać samą siebie.

Jak odebrała to Romilda Villani, w owym czasie siedemdziesięciojednoletnia, widząc siebie graną przez Sofię? Zgodnie z tym, co przytacza pisarz Warren Harris, dziennikarzowi, któremu się zwierzyła, powiedziała, że nie rozpoznaje się w tej kobiecie w rudawoblond peruce i poszarpanym ubraniu, żebrzącej o jedzenie dla dwóch córek.

„Nienawidzę tego filmu. Jest absurdalny i nieprawdziwy. Nigdy nie byłam przeciętną kobietą, a przedstawiona zostałam jako prosta chłopka. Byłam szczupła i miałam klasyczną urodę, o czym świadczą zdjęcia z okresu mojej młodości. Być może autorzy mogli tego nie wiedzieć, ale jak Sofia, która dobrze mnie zna, mogła się zgodzić na ten obraz tak odmienny od tego, jaka jestem?"

Może to jakiś dawny dług wobec matki skłonił Sofię, żeby zagrać ją w filmie *La mia casa è piena di specchi*. Dzisiaj ona sama twierdzi, że nigdy, ale to nigdy, z uwagi na szacunek i miłość, jakimi darzy matkę, nie przedstawiłaby jej w sposób obraźliwy albo sprawiający jej przykrość.

To, co Maria opowiedziała w swojej książce, jest bardzo piękne, ale ja zrozumiałam, że jedynym sposobem, aby to zinterpretować, jest złożenie wielkiego hołdu mojej matce, która zawsze biła się o mnie.

Podczas rzymskiej konferencji prasowej obie siostry niespo dziewanie starły się, wspominając postać matki.

Maria nie odsłoniła oczywiście przed licznie zgromadzonymi dziennikarzami swoich najgłębszych uczuć, które w przeszłości ją dręczyły, sprawiając, że była rozdarta między nieskończoną miłością a czymś w rodzaju nienawiści. Jest to wspólna dla wielu osób postawa w stosunku do uwielbianych matek, które jednak według ich dzieci traktowały je w sposób surowy i despotyczny.

To, co powiedziała Maria, wystarczyło, żeby podzielić front z siostrą, która wzruszyła się do łez.

„Ja i Sofia mamy inny obraz naszej matki, ponieważ jej zachowanie wobec Sofii i wobec mnie było różne. Nasza matka pragnęła w istocie, żeby Sofia zrekompensowała jej frustracje, poczynając od niespełnionej kariery w Hollywood po miłosne rozczarowanie z naszym ojcem... Ja byłam córką, która miała zostać u jej boku, według niej nie powinnam nawet się uczyć..."

Maria dostąpiła wielkiego odkupienia, kiedy w wieku trzydziestu ośmiu lat ukończyła studia humanistyczne, będąc już matką i żoną. To przykład determinacji, żeby przezwyciężyć, nie tylko za sprawą uzyskanego dyplomu, doświadczenia, z których nie wszystkie ujrzały światło dzienne i być może nigdy nie ujrzą, a których niszcząca siła mogłaby złamać bardziej kruchy charakter.

Moja matka stała zawsze u mego boku. Razem przeżyłyśmy wojnę, a ona musiała nawet prosić dla mnie o jałmużnę. Nasza historia jest prawdziwa, mówi o prawdziwych uczuciach, o prawdziwych ludziach. Dlatego poczułam się odpowiedzialna i dobrze się zastanowiłam przed przyjęciem roli. Przeżyłam coś w rodzaju czyśćca, okupiłam to nieprzespanymi nocami, bo chciałam być moją matką w stu procentach, oddać jej pozorną surowość i kruchość.

EPILOG

Kto dziś spotyka Sophię Loren, zadziwiony jest nie tylko jej smukłą figurą, ale także bardzo szczupłą talią, w szczęśliwym kontraście wobec tego, co dotyka większość kobiet w jej wieku.

Talia jest w istocie tą częścią kobiecego ciała, która ma skłonność do poszerzania się, kiedy przekroczy się granicę wieku średniego. Teoretyzuje na ten temat feministyczna pisarka Germanie Greek w swoim eseju *Zmiana. Kobiety i menopauza*, twierdząc, że kobiety powinny zaakceptować — nie przeciwstawiając się temu procesowi śmiesznymi przebierankami w dziewczęcym stylu — fizyczną transformację, ponieważ starzenie się polega na większej wolności, a nie na jej utracie.

Wydaje się z tym zgadzać Giorgio Armani, który w wypadku swojej rówieśniczki Sofii ma pewną teorię na temat tego, jak zyskać radość życia wraz z mijającymi latami.

Jak? Zachowywać się, jakby nigdy nic.

Dla mnie dzisiaj ważne jest to, że mam powiększoną rodzinę, która wypełnia mi życie, to znaczy moich synów, Carla i Edoarda, ich żony i moje wnuki, którzy czynią ich szczęśliwymi i w ten sposób uszczęśliwiają również mnie.

Najważniejszymi momentami początku nowego życia były małżeństwa synów i narodziny wnuków.

Carlo, abstrahując od sławnego nazwiska, bardzo ceniony dyrygent, który studiował u Mehliego i Zubina Mehtów, ożenił się w 2004 roku ze skrzypaczką Andreą Meszaros. Ceremonia odbyła się w Budapeszcie w bazylice Świętego Stefana, a wśród zaproszonych gości znalazł się również Giorgio Armani z bratanicą Robertą. Stylista ubrał Sofię w garsonkę i spodnie w kolorze malwy, a Marię Scicolone w podobny zestaw w odcieniu beżu. Edoardo świętował na odległość, ponieważ wdał się w bójkę, pokazując temperament odziedziczony bardziej po wybuchowych krewnych z południa niż po flegmatycznym ojcu z Mediolanu.

Z drugiej strony – Carlo, zanim ożenił się ze skrzypaczką i powołał na świat małego Vittoria – również wykazał się pewnym brakiem powściągliwości, kiedy został aresztowany za jazdę po pijanemu, wzbudzając tym niepokój Sofii, która wychowywała synów w poczuciu dyscypliny.

Edoardo, absolwent University of Southern Kalifornia na dwóch wydziałach, humanistycznym i reżyserii, ożenił się z absolwentką tej samej uczelni, piękną aktorką Sashą Alexander, jest cenionym reżyserem i otrzymuje prestiżowe propozycje. Jest tatą Lucii Sofii, urodzonej 12 maja 2006 roku, która spogląda z jednej z oprawionych w ramki fotografii w genewskim domu Sofii.

Scenariusze, cóż, oczywiście przychodzą, ale nie jest łatwo znaleźć oszałamiające tematy. Podobnie jak postacie dla kogoś, kto nie ma już dwudziestu lat.

To dlatego w jej karnecie znajdują się prestiżowe zajęcia, ale także inne, raczej zabawne jak bycie matką chrzestną sklepów Harrodsa na prośbę Al-Fayeda, albo od ponad dziesięciu lat święcenie fantastycznych statków MSC Crociere.

Postacią, która jej się podobała, była matka Guida Continiego, granego przez Daniela Day-Lewisa, bohatera musicalu *Nine – Dziewięć*, reżyserowanego w 2009 roku przez Roba Marshalla, a wyprodukowanego przez Harveya Weinsteina, filmu zainspirowanego *Osiem i pół* Felliniego.

Z Fellinim miałam zawsze serdeczne stosunki. Mieliśmy też wspólne plany, których nie udało się zrealizować. Jednym z nich była historia dziewczyny, która rozkochuje w sobie mężczyznę podczas podróży przez Włochy.

Nie było łatwo przyjąć propozycję Marshalla, którego bardzo ceniłam po sukcesach *Chicago* i *Moulin Rouge*, ale on mnie błagał – miałam być jedyną Włoszką wśród bohaterek, Hiszpanki, Angielki, Australijki i Francuzki, więc się zgodziłam. W *Nine* śpiewam, tańcząc walca z moim synem Guidem. Zaczynam z dzieckiem, potem sen Guida się rozwija i kończę taniec już z dorosłym mężczyzną.

Postać matki bohatera wprowadziła Loren do gwiazdorskiej obsady. W rolach różnych kobiet Continiego, żony, kochanki, dziennikarki, prostytutki, obsadzone zostały między innymi Nicole Kidman i Penélope Cruz, Judi Dench i Marion Cotillard.

Kosztujący 64 miliony dolarów film hołdował hollywoodzkiej złudności, abstrahując od późniejszych wpływów.

W pamięci Sofii rozpływają się filmy z przeszłości, z niezapomnianymi postaciami Marcella Mastroianniego i Vittoria De Siki, a także te stosunkowo niedawne, jak *Sobota, niedziela i poniedziałek* ulubionej Liny Wertmüller. Film, do którego produkcji Ponti włączył Silvia Berlusconiego.

Blaknie wspomnienie o nadzwyczajnej parze, Walterze Matthau i Jacku Lemmonie, dwóch nieprawdopodobnych uwodzicielach z *Jeszcze bardziej zgryźliwych tetryków*, do których dołączają inni królowie Hollywoodu, jak Gregory Peck i Peter O'Toole. Nad wszystkimi góruje mężczyzna, który mógł zostać jej mężem, elegancki dżentelmen Cary Grant.

Telewizja, poza historią o mamie Romildzie, dała jej też inne możliwości, od *Franceski i Nunziaty* w reżyserii Wertmüller, gdzie grała z Giancarlem Gianninim, Claudią Gerini i Raoulem Bovą, po *Rodzinę Innocente* z Sabriną Ferilli. Nic nie szkodzi, że Sabrinie, poza nią i Monicą Vitti, bardzo się też podoba dawna rywalka Sofii, jedyna obok niej włoska aktorka, która zdobyła Oscara – Anna Magnani.

Jeśli zapytacie Sofię, która znalazła się w Księdze Guinnessa z uwagi na liczbę zdobytych nagród, jakiej nagrody jej brakuje, odpowiada z ironią: „Nobla".

A jeśli zapytacie, za co chciałaby go dostać, ze wzruszeniem ramion i z szelmowskim uśmiechem odpowiada: „Za cierpliwość".

PODZIĘKOWANIA

Dziękuję Sophii Loren.

Podziękowania zechcą też przyjąć:
 Giorgio Armani
 Massimo Leonardelli
 Enrico Lucherini
 Enzo Mirigliani
 Mister X
 Bruno Oliviero
 i Maria Scicolone.

BIBLIOGRAFIA

Bragg Melvyn, *Rich. Life of Richard Burton*, London 1988

Finstad Suzanne, *Natasha. The Biography of Natalie Wood*, New York 2001

Giacobini Silvana, *Celebrità. Tutti i segreti del jet set*, Milano 2001

Harris Warren G., *Sophia Loren. A Biography*, New York 1998

Hotchner A.E., *Sophia, Living and Loving. Her Own Story*, New York 1979

I protagonisti della moda. Salvatore Ferragamo, Firenze 1985

Kelley Kitty, *Elizabeth Taylor. The Last Star*, New York 1982

„Life". I grandi fotografi, Roma 2004

„Life". Sophia Loren at her Italian villa, zdjęcia Alfred Eisenstaedt, czerwiec 1964

Loren Sophia, *In cucina con amore*, New York 1971

Moscati Italo, *Sophia Loren*, Venezia 1994

Mussolini Romano, *Mio padre Mussolini*, nieopublikowane, Villa Carpena 2001

Robe Lucy Barry, *Co-Starring. Famous Women and Alcohol*, Minneapolis 1986

Rose Charlie, *Sophia Loren*, DVD, lipiec 1999

Schirner Lothar, *Marilyn Monroe. Immagini di un mito*, New York 2001

Scicolone Maria, *La mia casa è piena di specchi*, Roma 2004

Set in Venice. Il cinema a Venezia. Scatti protagonisti racconti, red. Damiani
Ludovica, wstęp Mereghetti Paolo, Milano 2009

Small Pauline, *Sophia Loren. Moulding the Star*, Bristol and Chicago 2009

SPIS TREŚCI

SPIS TREŚCI